ver!ssimo

Copyright © 2008 by Luis Fernando Verissimo

Capa e projeto gráfico
Crama Design Estratégico

Escultura e ilustração
Ricardo Leite

Tratamento digital da escultura
Eduardo Rocha

Coordenação editorial
Isa Pessôa

Produção gráfica
Marcelo Xavier

Revisão
Eduardo Carneiro
Sheila Til
Ana Kronemberger

CIP-BRASIL. CATALOGAÇÃO-NA-FONTE
SINDICATO NACIONAL DOS EDITORES DE LIVROS, RJ
V619m

Verissimo, Luis Fernando
    O mundo é bárbaro e o que nós temos a ver com isso / Luis Fernando Verissimo. - Rio de janeiro : Objetiva, 2008.

    168p.
    ISBN 978-85-7302-913-0

    1. Crônica brasileira. I. Título.

08-2878
                      CDD: 869.98
                      CDU: 821.134.3(81)-8

[2016]
Todos os direitos desta edição reservados à
EDITORA SCHWARCZ S.A.
Praça Floriano, 19 — Sala 3001
20031-050 — Rio de Janeiro — RJ
Telefone: (21) 3993-7510
www.objetiva.com.br

LUIS FERNANDO veríssimo
O Mundo é Bárbaro

4ª reimpressão

Sumário

Nós no mundo
Como seria, 15
Meus dois pedidos, 17
Inquilinos, 19
A nossa turma, 21
O futuro não é mais o que era, 23
O que deu errado, 25
Onde estamos?, 27
Fora, povo!, 29
Os sem-verdade, 31
Humilhação, 33
O touro, 35
Apetitosos, 37
Os meios e os fins, 39
A velhinha contrabandista, 41
A analogia doméstica, 43
Da sua natureza, 45
Definições, 47
O eterno retorno, 49
Sem vacina, 51
O que move a humanidade, 53
Produtos do meio, 57
A teoria unificada, 59
Fatalismo, 61
Antiingleses, 63

O inimaginável, 65
Os otários necessários, 67
As calçadas, 69

As condições do tigre

Pense na China, 75
As diferenças, 77
A questão, 79
Os brancos, 81
Começar de novo, 83
Ruídos, 87
O básico de cada um, 89
Xadrez, 91
A velha senhora irônica, 93
Admirável, 95
O modelo, 97
Contemplando o fogo, 99
Estamos prontos, 101
Nosso espaço, 103

Velhos e novos bárbaros

Nova Nova Roma, 109
O laboratório improvável, 111
Reis e reis, 113
Pós-11/9, 115
Bárbaros, 117
Atingindo o alvo, 119
Precisa-se de uma revolução, 121
Saudade de Waterloo, 123

Sessenta anos, 125

Velhos e novos bárbaros, 127

Supervilão, 129

The queen, 131

O dia seguinte em Nova York, 133

Uma longa história, 135

A tirania do qualquer um, 137

Abstrações, 139

Mal-entendidos, 141

Peixe na cama, 143

Da irresponsabilidade, 145

Dar certo, 147

Filhos do XIX, 149

Empate, 151

Neo-stalinismo, 153

Esquerda e direita, 155

O bom terror, 157

Ah, o século XIX, 159

O lado bom da situação, 161

Que espécies, 163

Entreouvida na rua: "O que isso tem a ver com o meu café com leite?" Não sei se é uma frase feita comum que só eu não conhecia ou se estava sendo inventada na hora, mas gostei. Tudo, no fim, se resume no que tem e não tem a ver com o nosso café com leite, no que afeta ou não afeta diretamente nossas vidas e nossos hábitos. É uma questão que envolve mais do que a vizinhança próxima. Outro dia ficamos sabendo que o Stephen Hawking voltou atrás na sua teoria sobre os buracos negros, aqueles furos no Universo em que a matéria desaparece. Nem eu nem você entendíamos a teoria, e agora somos obrigados a rever nossa ignorância: os buracos negros não eram nada daquilo que a gente não sabia que eram, são outra coisa que a gente nunca vai entender. Nosso consolo é que nada disto tem a ver com nosso café com leite. Os buracos negros e o nosso café com leite são, mesmo, extremos opostos, a extrema angústia do desconhecido e o extremo conforto do familiar. Não cabem na mesma mesa ou no mesmo cérebro.

Mas da mesma forma que estes extremos não estão tão longe assim — basta o Sol inventar de implodir e iremos todos juntos para o buraco, nós, nosso café com leite, nosso pão com manteiga, nosso santinho da sorte e aquele pulôver favorito —, coisas da vizinhança próxima que parecem não ter nada a ver com nossas vidas têm muito. Você lê essas histórias de fortunas migrando entre os poucos bolsos de sempre, indo para paraísos fiscais e contas ofishór e voltando disfarçadas, o milagre de dinheiro estéril gerando mais dinheiro estéril, a grande e interminável farra do capital no Brasil, e é como se lesse sobre os buracos negros, algo que não lhe diz respeito, que se passa longe do seu café com leite. E no entanto a moral desse bordel é a moral dominante no país, agora, incrivelmente, mais do que nunca. É a que determina nossa expectativa de vida. Seus apologistas dizem que não há nada de ilegal no turismo sexual que o capital financeiro faz no Brasil para reproduzir a si mesmo, como se o escândalo não fosse justamente sua legalidade. Também alegam que não há alternativa viável à nossa dependência do capital amoral. Era o que o Stephen Hawking dizia da sua teoria para os buracos negros, antes de mudar de idéia. Mas aparentemente as leis da física são mais flexíveis do que a ortodoxia do bordel.

Nós no mundo

!

No filme *O Exterminador do Futuro*, um schwarzenegger é mandado ao passado para matar a mãe de um líder revolucionário que está incomodando o governo. Matar o inimigo pela raiz, por assim dizer. A lógica é inatacável: se não nascer no passado, o problema não existirá no futuro. Muita gente já deve ter imaginado o que faria se tivesse o mesmo poder de voltar atrás para alterar um detalhe, refazer uma escolha, corrigir uma bobagem e mudar a sua vida. Há quem diga que a primeira tarefa do hipotético exterminador deveria ser voltar 508 anos, se postar na praia e, à aproximação dos barcos de Cabral, começar a agitar os braços e gritar "Não! Não!".

Como seria

Como seria se os portugueses tivessem sido postos para correr — ou para nadar, no caso — naquele 22 de abril, e nunca mais se animassem a chegar perto destas praias, nem eles nem quaisquer outros brancos? Como seria o Brasil, hoje, habitado exclusivamente por índios? Imagine uma reunião dos presidentes do Mercosul, todo mundo posando para a fotografia de terno e gravata e o brasileiro nu. Haveria vantagens e desvantagens em viver numa eterna Pindorama. Para começar pelo mais grave, pelo menos para mim: eu não existiria. Aposto que você também não. Devo ter sangue índio, se a cara da minha avó paterna não estava mentindo, mas o resto é um coquetel do que veio depois: português, negro, alemão, italiano. Em compensação, também não existiria o Eurico Miranda.

Como seria se os holandeses tivessem derrotado os portugueses e colonizado todo o Brasil? Para começar, nossos padrões de beleza seriam completamente outros. Em vez de morenas, nossas mulheres seriam loiras de cabelo escorrido, e a brasileira mais conhecida no mundo seria alguma longilínea do tipo nórdico, chamada Gisele ou coisa parecida. Nem dá para imaginar.

Como seria se os franceses tivessem conseguido consolidar a sua civilização subequatorial por aqui? Sei não, talvez a comida não melhorasse tanto assim — também se come mal na França, e vá encontrar uma boa feijoada com couve e torresmo —, mas quem nos assegura que hoje não teríamos uma Carla Bruni como primeira-dama, congressistas que ficassem sentados em seus lugares em vez de se aglomerarem na frente da mesa, um serviço público muito melhor e pelo menos mais quatro feriados nacionais (Dia da Bastilha, Dia do Armistício de 18, Dia do Armistício de 45, Dia do Queijo Fedorento etc.) por ano? Talvez fôssemos corruptos do mesmo jeito, já que deve ser alguma coisa na água. Mas as conversas grampeadas seriam em francês! Quer dizer, uma coisa de outro nível.

Meus dois pedidos

Agora posso contar. Fui eu que consegui a vitória do Internacional no Campeonato Mundial Interclubes, no Japão, em 2006.

Foi assim. Recebi uma oferta do Diabo pela minha alma. Veio por e-mail, de sorte que nem vi a sua cara. Ele procurava na internet pessoas dispostas a trocar sua alma pelo que quisessem. Respostas para 666belzebu.com. A pessoa empenhava sua alma ao Diabo, para entregar na saída, e em troca poderia pedir duas coisas. Mas só duas coisas.

Perguntei como eu poderia ter certeza que ele cumpriria a sua parte no trato. Depois da minha alma empenhada, contrato assinado com sangue etc., ele poderia simplesmente não atender aos meus pedidos. Ele propôs que fizéssemos um teste. Que eu pedisse alguma coisa impossível. Que o meu pedido fosse um delírio, algo totalmente fora da realidade. Se ele cumprisse o prometido, eu saberia que sua oferta era para valer. E só então lhe entregaria a minha alma. Concordei.

Qual seria o meu primeiro pedido? Pensei imediatamente no Internacional. Está certo, antes pensei na Luana Piovani, mas aí achei que poderia dar confusão. Em seguida pensei no Internacional. Um Campeonato do Mundo para o Internacional! Decisão contra o Barcelona. Sua resposta veio num e-mail conciso:

"Feito."

E foi o que se viu. Vitória sobre o Barcelona contra todas as probabilidades. Inter campeão do mundo. O trato com o Diabo era, por assim dizer, quente. E eu podia fazer meu segundo pedido. Um bicampeonato do mundo para o Inter? Concluí que estava sendo egoísta demais. Estava pensando só na alegria dos colorados — e passageira, pois não poderia pedir vitórias do Internacional em todos os campeonatos, para sempre — e esquecendo o meu país. Deveria pedir, pela minha alma, algo que desse alegria a todos, inclusive gremistas. O quê? Quero que o Brasil se transforme num país escandinavo. Agora! Um país organizado, sem crime, sem fome, sem injustiça, sem conflitos, magnificamente chato. Era isso: minha alma por um país aborrecido!

Foi o que botei no meu e-mail para o Diabo. Ele respondeu perguntando se eu tinha pensado bem no que estava pedindo. Eu deveria saber que a adaptação seria difícil. A conversão da moeda, a língua, o frio, os hábitos diferentes... E que seria impossível preservar tudo o que nos faz simpáticos, e criativos, e divertidos — enfim, brasileiros no bom sentido — sem a bagunça e o mau caráter. Ou ser escandinavo só durante o expediente e brasileiro depois das seis. Era mesmo o que eu queria?

"É", respondi. "Chega desta irresponsabilidade tropical, desta indecência social disfarçada de bonomia, desta irresolução criminosa que passa por afabilidade, deste eterno adiamento de tudo. Faça-nos escandinavos, já!"

O Diabo: "Tem certeza? Já?"

Eu: "Bom... Depois do carnaval."

Inquilinos

Ninguém é responsável pelo funcionamento do mundo. Nenhum de nós precisa acordar cedo para acender as caldeiras e checar se a Terra está girando em torno do seu próprio eixo na velocidade apropriada e em torno do Sol, de modo a garantir a correta sucessão das estações. Como num prédio bem administrado, os serviços básicos do planeta são providenciados sem que se enxergue o síndico — e sem taxa de administração. Imagine se coubesse à humanidade, com sua conhecida tendência ao desleixo e à improvisação, manter a Terra na sua órbita e nos seus horários, ou se — coroando o mais delirante dos sonhos liberais — sua gerência fosse entregue a uma empresa privada, com poderes para remanejar os ventos e suprimir correntes marítimas, encurtar ou alongar dias e noites, e até mudar de galáxia, conforme as conveniências de mercado, e ainda por cima sujeita a decisões catastróficas, fraudes e falência.

É verdade que, mesmo sob o atual regime impessoal, o mundo apresenta falhas na distribuição dos seus benefícios, favorecendo alguns andares do prédio metafórico e martirizando outros, tudo devido ao que só pode ser chamado de incompetência administrativa. Mas a responsabilidade não é nossa. A infra-estrutura já estava pronta quando nós chegamos. Apesar de tentativas como a construção de grandes obras que afetam o clima e redistribuem as águas, há pouco que podemos fazer para alterar as regras do seu funcionamento.

Podemos, isto sim, é colaborar na manutenção da Terra. Todos os argumentos conservacionistas e ambientalistas teriam mais força se conseguissem nos convencer de que somos inquilinos no mundo. E que temos as mesmas obrigações de qualquer inquilino, inclusive a de prestar contas por cada arranhão no fim do contrato. A escatologia cristã deveria substituir o Salvador que virá pela segunda vez para nos julgar por um Proprietário que chegará para retomar seu imóvel. E o Juízo Final, por um cuidadoso inventário em que todos os estragos que fizemos no mundo seriam contabilizados e cobrados.

— Cadê a floresta que estava aqui? — perguntaria o Proprietário. — Valia uma fortuna.

E:

— Este rio não está como eu deixei...

E, depois de uma contagem minuciosa:

— Estão faltando cento e dezessete espécies.

A Humanidade poderia tentar negociar. Apontar as benfeitorias — monumentos, parques, áreas férteis onde outrora existiam desertos — para compensar a devastação. O Proprietário não se impressionaria.

— Para que eu quero o Taj Mahal? Sete Quedas era muito mais bonita.

— E a Catedral de Chartres? Fomos nós que construímos. Aumentou o valor do terreno em...

— Fiquem com todas as sua catedrais, represas, cidades e shoppings, quero o mundo como eu o entreguei.

Não precisamos de uma mentalidade ecológica. Precisamos de uma mentalidade de locatários. E do terror da indenização.

A nossa turma

"Vai procurar a tua turma" é uma frase de multiuso que pode significar "não chateia", "vê se te enxerga", "desaparece da minha frente" ou então "tente localizar o grupo humano ao qual você pertence, porque obviamente não é este". De qualquer maneira, é um incentivo ao autoconhecimento, quando não ao racismo e à retribalização da espécie. Como parece estar havendo guinadas para a esquerda na América Latina e para a direita nos Estados Unidos e na Europa, pode-se dizer que Sul e Norte estão definindo quais são, afinal, suas turmas naturais? Fronteiras ideológicas e econômicas, que não respeitavam fronteiras nacionais mas serpenteavam pelo mundo e dividiam populações, complicavam a definição das nossas respectivas turmas. O fracasso do modelo neoliberal na América Latina, a questão dos imigrantes na Europa e a ausência de alternativas ao conservadorismo fundamentalista nos Estados Unidos teriam facilitado a coisa. As turmas é que se definiram, as fronteiras ficaram mais simples e visíveis. Hoje contam as que dividem um mundo rico tornado menos benévolo pelos acontecimentos e um mundo indigente que se convence, aos poucos, que não pode depender da benevolência alheia.

      Se mandassem o Brasil procurar a sua turma, hoje, qual seria ela? Como a geografia volta a se impor sobre a ideologia no traçado das fronteiras, poderíamos procurar nossos iguais entre os que têm o mesmo tamanho. Descontados Estados Unidos e Canadá, que não nos querem como iguais na sua turma, sobram China e Índia, que já optaram por procurar outra turma, mas são exemplos problemáticos. O elogio que se faz à China atual do comércio livre e do capitalismo pragmático é um meio elogio, pois não inclui a outra parte do fenômeno chinês, os duros anos de coletivização e o centralismo econômico autoritário, que continua. Se com a Índia tínhamos em comum o fatalismo com a miséria, hoje poderíamos tomar como exemplo a séria reforma agrária que fazem por lá, mas o que mais? Talvez o exemplo mais aproveitável da turma dos grandes que tentam ser independentes seja, justamente, a independência. Pois está claro que os ricos, quando nos mandam procurar nossa turma, é no sentido de "desaparece".

O futuro não é mais o que era

Se todas as previsões feitas no passado sobre como seria a vida no começo do século XXI dessem certo, cada um de nós teria um helicóptero — ou coisa parecida — na garagem, e para viagens mais longas só usaríamos aviões supersônicos. Os Volkswagens voadores não vieram, para não falar nas megalópoles superorganizadas com calçadas rolantes e no mundo em paz permanente e sem pragas, mas o Concorde parecia ser um sinal de que pelo menos parte da visão se cumpriria, mesmo com atraso.

Era um protótipo que, com o tempo, se aperfeiçoaria e democratizaria. Seus defeitos eram desculpáveis, tratando-se de um protótipo. Fora as críticas irrelevantes (sim, querida, o caviar é beluga, mas com a granulação errada) o pior que se dizia de uma viagem no estreito Concorde, com suas poltronas apertadas, era parecido com o que aquele inglês disse do ato sexual: o prazer é fugaz e a posição é ridícula. Tudo isso seria corrigido com o tempo, inclusive o seu maior defeito, o preço das passagens, só acessível a quem distingue grão de caviar. Mas o Concorde acabou antes de poder ficar viável. E o que se chora não é o fim de uma máquina muito cara e talvez desnecessária, mas de um sonho: o que a vida poderia ser, se todas as possibilidades abertas pela ciência e a tecnologia depois da Primeira Guerra Mundial tivessem dado em outro mundo.

As idílicas previsões dos anos 20 e 30 pressupunham um progresso da mentalidade humana comparável ao da sua técnica. Não aconteceu. Não por acaso a decisão final sobre a impossibilidade do Concorde coincidiu com uma desilusão terminal com o papel da ONU, que também frustrou expectativas antigas. No fim, o que a gente mais sente falta do passado é o seu futuro. O Concorde podia ser só uma extravagância feita para quem quisesse almoçar em Paris e almoçar de novo em Nova York. Mas morreu com a dignidade de um símbolo, no caso, o do fim prematuro de um século que só ficou na imaginação.

Mas, enfim, o futuro imaginado no passado não incluía uma palavra, uma pista, uma sugestão que fosse da grande revolução da informática que viria e ninguém previu. Quer dizer, já era um futuro obsoleto.

O que deu errado

Entre as formigas e as abelhas o problema não existe: algumas nascem para ser a elite, o resto nasce para ser o resto. Tudo já foi resolvido antes, tudo está nos genes. Quem nasce com o gene altruísta se sacrifica pela elite dominante porque existe para isso. Jamais lhe ocorre perguntar "Por que eu?". Não há notícia de uma rebelião antimonarquista entre as abelhas, com a rainha obrigada a buscar o exílio em alguma Côte D'Azur apiária, depois de passar a fórmula do mel. Até hoje, que se saiba, nenhum batalhão de formigas se insurgiu contra métodos injustos de trabalho e derrubou o poder despótico que o martiriza. Colmeias e formigueiros são exemplos de organização social — e de otimização de produção com mão-de-obra intensiva — porque a função de cada um está nos genes, e ninguém discute uma ordem dos genes para se sacrificar.

O problema com as sociedades humanas é que, no nosso caso, a natureza confiou demais no altruísmo voluntário. Daí a resistência à flexibilização das leis trabalhistas, a grita contra o novo mínimo, as greves etc. Falta de altruísmo no sangue da maioria. A natureza criou a iniciativa individual e a compulsão para o lucro em alguns, mas esqueceu de criar a iniciativa para o sacrifício e a compulsão para a acomodação em outros, sem os quais as leis naturais do mercado não funcionam. Ou só funcionam com os genes altruístas sendo substituídos pela pregação liberal como verdade única ou, se isto falhar, pela tropa de choque. Ou seja, pelo altruísmo artificial.

    Mas eu acho que fazem uma injustiça com a natureza. Ela criou, sim, o gene altruísta para o homem. Em cada descarga do sêmen humano vão milhares de espermatozóides altruístas, tão abnegados e dispostos a se sacrificar por uma sociedade perfeita como os genes de qualquer formiga. Mas justamente por serem tão resignados, eles sempre chegam atrás das células mais egoístas e decididas. Quando não as deixam passar, por puro espírito de renúncia. Assim, é sempre um espermatozóide com absurda pretensão de não ser inferior a ninguém o primeirão, o que fecunda o óvulo e cria as pessoas que criam todos esses problemas para o governo e para os patrões. É por funcionar bem demais no útero que o neoliberalismo tem dificuldades aqui fora. Foi isso que deu errado.

Onde estamos?

Situe-se, situe-se. Hoje a técnica de navegação por satélite permite que tanto barcos em alto-mar como táxis na rua saibam sempre exatamente onde estão, e não podemos ficar atrás deles. Como não estamos ligados a satélites, temos de suprir as nossas próprias coordenadas e renová-las diariamente. Vamos lá.

Vivemos no Brasil, América do Sul, Hemisfério Ocidental Sul, Terra, Sistema Solar, Via Láctea, fundos. Estamos no ocaso da civilização do carbono, mas não comece a respirar ainda. Somos pós-hegelianos, pós-marxistas, pós-keynesianos, pós-freudianos, pós-modernos e pré-falimentares. Passamos do pastoral à sucata sem o estágio intermediário de uma indústria própria, mas somos pentacampeões e os nossos celulares ficam cada vez menores, o que é mais do que se pode dizer da Argentina. Passamos da liberação sexual ao terror pós-coital sem o estágio intermediário de uma relação descansada, numa boa, daquelas de tarde inteira em cima do edredão, e somos a primeira geração da História a temer o termo "positivo". E passamos da barbárie à decadência sem o estágio intermediário de pelo menos algo para chamar de bons tempos, depois. Isso aqui nos suis do mundo, porque no Norte é melhor, mas lá eles às vezes se bombardeiam, e faz mais frio.

    Estabelecidas as suas coordenadas, assim, genéricas, situe-se como indivíduo, cidadão, eleitor, entidade autônoma e precário organismo evanescente num Universo em degradação. Eu, só para pegar um exemplo ao acaso, faço a barba todas as manhãs para me certificar de que ainda existo, pois não teria sentido barbear um morto, e recito meu CPF e meu RG para ter certeza que sou eu mesmo e não um impostor.

Fora, povo!

Pesquisa recente concluiu que a elite brasileira é mais moderna, ética, tolerante e inteligente do que o resto da população. Nossa elite, tão atacada através dos tempos, pode se sentir desagravada com o resultado do estudo, embora este tenha sido até modesto nas suas conclusões. Faltou dizer que, além das suas outras virtudes, a elite brasileira é mais bem vestida do que as classes inferiores, tem melhor gosto e melhor educação, é melhor companhia em acontecimentos sociais e é incomparavelmente mais saudável. E que dentes!

A pesquisa reforça uma tese que defendo há anos, segundo a qual o Brasil, para dar certo, precisa trocar de povo. Esse que está aí é de péssima qualidade. Não sei qual seria a solução. Talvez alguma forma de terceirização, substituindo-se o que existe por algo mais escandinavo. As campanhas assistencialistas que tentam melhorar a qualidade do povo atual só a pioram, pois, se por um lado não ajudam muito, pelo outro o encorajam a continuar existindo. E pior, se multiplicando. Do que adianta botar comida no prato do povo e não ensinar a correta colocação dos talheres, ou a escolha de tópicos interessantes para comentar durante a refeição? Tente levar o povo a um restaurante da moda e prepare-se para um vexame. O povo brasileiro só envergonha a sua elite.

Se não tivéssemos um povo tão inferior, nossos índices sociais e de desenvolvimento seriam outros. Estaríamos no Primeiro Mundo em vez de empatados com Botsuana. São, sabidamente, as estatísticas de subemprego, subabitação e outros maus hábitos do povo que nos fazem passar vergonha.

Que contraste com a elite. Jamais se verá alguém da elite brigando e fazendo um papelão numa fila do SUS como o povo, por exemplo. Mas o que fazer? Elegância e discrição não se ensina. Classe você tem ou não tem. Mas o contraste é chocante, mesmo assim. Esse povo, decididamente, não serve.

Se ao menos as bolsas-família fossem Vuitton...

Os sem-verdade

Os donos da verdade são um pouco como os donos da terra no Brasil. Alguns têm latifúndios de verdade que não querem ver divididos. Muitos vivem há anos de verdades improdutivas e, como no caso da terra, há verdades cujo título de posse não resistiria a um teste de legitimidade — ou são verdades roubadas, ou são verdades mal medidas, ou são simplesmente mentiras.

Há verdade herdada que o dono nem conhece, verdade ociosa servindo só de patrimônio ou garantia e verdade que você vai ver é um pântano. Quem desafia a posse de toda a verdade nacional por uns poucos é chamado de agitador. O máximo de participação permitida a quem tem sua verdade negada é ser posseiro na verdade alheia. Ter a ilusão de ser dono de um pouco de verdade, às vezes só um quadrado, uma horta de verdade, mas depender da definição de verdade dos outros.

Resta aos sem-verdade fazer o que fazem os sem-terra: se organizarem e pedirem uma reforma semântica para valer, uma reavaliação do significado de palavras e conceitos e uma distribuição mais justa da verdade entre os brasileiros. A concentração da verdade numa minoria e a resistência à verdade compartilhada ou à reforma da verdade acabará sendo ruinosa para todos, inclusive os seus atuais proprietários. Da mesma forma que, dividindo a terra ociosa, mais do que justiça, se estaria fazendo sentido, para uma agricultura mais competitiva, a divisão da verdade — a verdade para quem quer trabalhar com ela! — salvaria os atuais donos de todas as distorções do pensamento único, e do risco de um dia precisarem de uma crítica sincera e não encontrarem fornecedor.

Reforma da verdade já!

Humilhação

Nosso tamanho nos torna megalomaníacos natos. Não sabemos pensar no Brasil a não ser em superlativos. Somos amazônicos tanto nas nossas vaidades quanto nos nossos remorsos. Assim, a Arena, o braço desarmado do poder militar, podia dizer que era o maior partido do mundo porque, em números, era mesmo, tantos foram os políticos que a integraram naquela democracia de faz-de-conta. Outra maneira de dizer a mesma coisa seria nos chamarmos de a maior sabujocracia do mundo, embora nem todos do grande partido fossem servis aos militares. Muitos fizeram respeitáveis carreiras no partido oficial, e, se foram cúmplices na farsa, o MDB, a seu modo, também foi. Depois, com o fim do regime militar, o voto obrigatório nos autorizou a dizer que éramos, em proporção à população, a maior democracia de verdade em funcionamento no mundo. E o que sentimos ao descrever nossas mazelas gigantescas só pode ser descrito como orgulho desvairado, quase uma forma de ufanismo. Nenhum outro país é tão corrupto quanto o nosso. E estamos sempre superando nossas próprias marcas. O escândalo do mensalão era o maior de todos os tempos. Agora o escândalo das sanguessugas é maior do que o escândalo do mensalão. Eta nóis!

Não quero desiludir ninguém, mas eu estava lendo uma matéria no *New York Times* sobre superfaturamentos, custos fictícios e outras falcatruas de empresas americanas contratadas para reconstruir o Iraque, e, à medida que lia, minha megalomania murchava. Até nisso eles nos humilham. Não era só o volume de dinheiro desviado, muito maior do que em qualquer concebível escândalo brasileiro. A Bechtel, a Halliburton, ligada ao vice-presidente Dick Cheney, e outras empresas americanas ganharam, com exclusividade ("Nossa sujeira limpamos nós" é o lema implícito) e sem licitação, os contratos para reparar os estragos feitos pelo outro lado do complexo de indústrias e serviços subsidiado pelo Pentágono, e que também tem uma longa história de enganar seu contratante. Mesmo com os bilhões de dólares gastos e roubados, e alguns anos depois da queda do Saddam, ainda não conseguiram restabelecer completamente a eletricidade no país. O *Times* cita como exemplo da roubalheira a reconstrução de um hospital para crianças em Basra. O prazo já venceu, o custo já se multiplicou várias vezes e o hospital continua inacabado.

E o pior para o nosso ego é que, com tudo isso, você não ouve os americanos dizerem que são os mais corruptos do mundo. Ainda por cima nos arrasam com sua modéstia.

O touro

Já se disse que a alma ibérica se divide em duas, uma mais caliente e a outra menos, e que Portugal é uma Espanha ponderada. A divisão estaria evidente na tourada, essa metáfora para todas as dicotomias humanas. Na Espanha matam o touro, em Portugal apenas o chateiam. Ainda não se chegou a um acordo sobre o que, exatamente, toureiro e touro simbolizam. A metáfora não é clara. Razão x instinto? Cultura x natureza? Ou — como li em algum lugar — tudo não passa de um ritual de sedução, com o Homem subjugando a Mulher, a Besta Primeva e todos os seus terrores, numa espécie de tango sangrento em que não falta uma penetração no fim? Ou o toureiro gracioso é a mulher estilizada e o touro resfolgante uma paródia de homem? Enfim, seja o que for que se decide numa arena de touros, os espanhóis terminam o ritual, os portugueses deixam pra lá.

      Pensei nisso lendo sobre o livro que saiu na Argentina, no qual pela primeira vez líderes militares da época, inclusive o presidente Videla, reconhecem em entrevistas as atrocidades cometidas durante a última ditadura deles. No Chile, o processo contra Pinochet revelou os crimes da repressão e permitiu que, aos poucos, a história ainda não contada dos anos terríveis se incorpore à história oficial do país — para ser reconhecida e expiada, para que reconciliação não signifique absolvição, para que nunca mais se repita. No Brasil, a repressão foi menos assassina do que na Argentina e no Chile — se é que se pode falar em graduações de barbaridade — e ninguém teve que dar muitas explicações. No caso, a simpática irresolução portuguesa desserve a história. Pois se o touro continua vivo, o que há para expiar? Aqui, venceu o deixa-pra-lá-ismo.

Já que temos de ser ibéricos, é melhor ser português. Vive-se mais longe do coração selvagem da vida, com menos drama e menos sangue. E, vez que outra, também é uma boa desculpa.

Apetitosos

À idéia de que não somos mais do que uma erupção passageira na superfície de um planeta menor numa galáxia entre trilhões de outras se antepôs, ultimamente, a convicção — agora não mais religiosa, mas cientificamente plausível — de que o Universo existe para a gente existir. O fato de a Terra estar na distância exata do Sol para haver vida como a nossa — um pouquinho mais perto ou um pouquinho mais longe e nem você, eu ou qualquer outro mamífero seria possível — é apenas uma amostra dessa grande deferência conosco. Somos a razão de tudo, o resto é cenário ou sistema de apoio. E não fazemos feio entre os mamíferos. Nenhuma outra espécie com a mesma proporção de peso e volume se iguala à nossa.

Nosso habitat é o planeta todo, independente de clima e vegetação. Somos a primeira espécie da História a controlar a produção do seu próprio alimento e a sobreviver fora do seu ecossistema de nascença. Em nenhuma outra espécie as diferentes categorias se intercasalam como na nossa, o que nos salvou do processo de seleção natural que militou nas outras. E o que a nossa sociabilidade não conseguiu, a técnica garantiu. Mutações que decretariam o fim de outra espécie em poucas gerações na espécie humana são corrigidas ou compensadas pela técnica. Exemplo: a visão. Enxergamos menos do que nossos antepassados caçadores e catadores, mas vemos muito mais, graças à oftalmologia e a todas as técnicas de percepção incrementada.

Mas nosso sucesso tem um preço. Chegamos onde estamos consumindo tudo a nossa volta e hoje somos tantos que também nos transformamos em recursos consumíveis. Em breve a carne humana superará em valor calórico todas as outras fontes de alimento disponíveis sobre a Terra. E 10 mil anos ingerindo comida cultivada, mesmo com a maioria só comendo para subsistir, nos tornaram cada vez mais apetitosos e nutritivos. Gente já é o principal exemplo de recurso subexplorado do planeta. E as leis da evolução são impiedosas: comunidades virais e bacteriológicas se transformam para nos incluir, cada vez mais, na sua dieta. Já que estamos ali, aos bilhões, literalmente dando sopa.

Os meios e os fins

Não faz muito, cientistas conseguiram aumentar a velocidade da luz, que é de 300 mil quilômetros por segundo. Um feixe de luz produzido em laboratório atravessou uma câmara cheia de gás césio com tanta rapidez que chegou ao outro lado antes de ter saído, ou saiu antes de ter entrado! Foi outra certeza científica irrefutável — a da velocidade da luz num vácuo como a máxima velocidade possível e uma das constantes invariáveis na natureza — refutada. A explicação dos cientistas é de que um pulso de luz é formado por ondas, e os átomos do gás césio resfriado, usado na câmara, ampliaram a freqüência das ondas mais do que qualquer outro meio de propagação conhecido, mais até do que o vácuo, teria conseguido.

    Um experimento parecido poderia ser feito no Brasil substituindo-se feixes de luz por escândalos e medindo a sua duração, segundo o meio que atravessam. Aqui há escândalos que terminam antes de começar, ou então começam e, misteriosamente, desaparecem no caminho. Outros perduram, crescem, vão, voltam e exigem explicação. A diferença entre um fenômeno e outro é a natureza do meio. Num caso, em vez de conduzir o fato ao seu desfecho natural, o meio o absorve, desvia, engaveta ou mata. Foi o que aconteceu com freqüência num passado recente, em que o equivalente ao gás césio resfriado era um conluio de interesses arraigados, conivências tácitas, polícia omissa e imprensa amiga que não deixou nenhum escândalo chegar ao outro lado, ao esclarecimento e à conseqüência, ou sequer aparecer. No outro caso, o meio de propagação é um gás de interesses contrariados, conveniências tácitas, polícia ativa e uma imprensa não tão amiga que faz os escândalos aparecerem.

Mas, como tanto os escândalos abafados do passado quanto os gritantes de hoje têm um destino comum — não dão em nada —, a analogia talvez esteja errada. O que prejudica a passagem do fato para o efeito e do crime para o castigo não é o meio de propagação — é o vácuo moral em que nos acostumamos a viver, com tanta impunidade acumulada e tão cinicamente defendida. Teríamos chegado a um ponto em que investigação completa e punição certa de qualquer caso escandaloso pareceriam uma coisa até meio, sei lá, antinatural.

A velhinha contrabandista

Todos conhecem a história da velhinha contrabandista. Todos os dias uma velhinha atravessava a ponte entre dois países, de bicicleta e carregando uma bolsa. E todos os dias era revistada pelos guardas da fronteira, à procura de contrabando. Os guardas tinham certeza que a velhinha era contrabandista, mas revistavam a velhinha, revistavam a sua bolsa, e nunca encontravam nada. Nada. Todos os dias a mesma coisa: nada. Até que um dia um dos guardas decidiu seguir a velhinha, para flagrá-la vendendo a muamba, ficar sabendo o que ela contrabandeava e, principalmente, como. E seguiu a velhinha até o seu próspero comércio de bicicletas e bolsas.

Como todas as fábulas, esta traz uma lição, só nos cabendo descobrir qual. Significa que quem se concentra no mal aparentemente disfarçado descuida do mal disfarçado de aparente, ou que muita atenção ao detalhe atrapalha a percepção do todo, ou que o hábito de só pensar o óbvio é a pior forma de distração. No Brasil, temos o hábito de procurar e nos indignar com o escândalo menor e deixar passar o escândalo maior, ou o uso do dinheiro público para lucro privado e proveito político, que inclui desde privatizações subsidiadas pelo Estado e a benemerência com bancos falidos até espionagem e contra-espionagem com fins eleitoreiros, sem falar no condominato com as "oligarquias corruptas do Norte e Nordeste", que só se tornaram reprováveis quando se tornaram politicamente inconvenientes.

Isto é o banal, é o corriqueiro, é a velhinha passando de bicicleta pela ponte todos os dias.

A analogia doméstica

Quando querem tornar as coisas mais fáceis para nós, os leigos, (leia-se os burros) compreendermos, os economistas costumam recorrer à analogia doméstica. Um país é como uma família, não pode gastar mais do que ganha, dizem. Um país, como uma família, precisa ser realista no seu orçamento e responsável nos seus gastos. Senão um país, como uma família, vai à bancarrota.

Como todos nós (os burros) temos ou tivemos uma família, fica fácil entender o que os economistas querem dizer. Ainda mais se eles falarem devagar. A analogia é até algo enternecedora, pois lembra aquelas velhas aulas de aritmética em que os problemas sempre envolviam uma situação doméstica com a qual podíamos nos identificar. Você eu não sei, mas eu estudei aritmética acompanhando os repetidos dilemas de mães obrigadas a dividir quatro gomos de laranja entre cinco filhos, e até desafios maiores à sua engenhosidade e senso maternal de justiça.

É verdade que quando passávamos para problemas mais complicados, trocávamos o ambiente familiar pelo mundo lá fora, com suas contas difíceis e suas tragédias latentes. Quanto tempo levaria para que dois trens vindo de direções opostas nos mesmos trilhos, numa determinada distância, cada um numa determinada velocidade, se chocassem? Mas ainda eram narrativas, ainda tinham ação e personagens. Eu me distraía tanto pensando naquelas histórias, nas suas possíveis vítimas — filhos esquecidos pela mãe e traumatizados para toda a vida, os prováveis mortos e feridos no terrível acidente ferroviário —, que esquecia a aritmética.

Existe o mesmo perigo de ficarmos imaginando a família-modelo dos economistas e esquecermos a sua lição. O pai (Egídio) é um exemplo de controle e sobriedade, como os economistas no poder gostam. No passado se excedeu, gastou mais do que podia e foi obrigado a fazer um empréstimo. Mas está pagando o seu empréstimo responsavelmente, como os economistas no poder recomendam. Mesmo porque precisa manter o crédito para conseguir empréstimos para pagar o seu empréstimo. Mas já que estamos no terreno do reducionismo didático, me ocorre uma situação familiar supersimples: um dia o seu Egídio é obrigado a escolher entre alimentar os seus filhos e pagar a sua dívida. Qual o exemplo que ele deve dar para a nação? Está certo, melodrama não. Mas se vamos recorrer a exemplos simplistas, então sejamos simplistas até o fim. Pois a escolha diante da nação é exatamente a escolha do nosso pai de família imaginário.

Da sua natureza

Sorte nossa que as árvores não gemam e os animais não falem. Imagine se cada vez que se aproximasse uma motosserra as árvores começassem a gritar "Ai, ai, ai!" e aos bois não faltassem argumentos razoáveis para não querer entrar no matadouro. Imagine porcos parlamentando em causa própria, galinhas bem articuladas reivindicando sua participação na renda dos ovos e gritando slogans contra o hábito bárbaro de comê-las, pássaros engaiolados fazendo discursos inflamados pela liberdade. Os únicos bichos que falam são os papagaios, mas até hoje não se tem notícia de um que defendesse os direitos dos outros. O papagaio tem voz, mas não tem consciência de classe.

A vida humana seria difícil se não pudéssemos colher uma beterraba sem ouvir as lamentações da sua família e insultos do resto da horta. Não deixaríamos de comer, claro. Nem beterrabas, nem bois ou galinhas, apesar dos seus protestos. Mas o remorso, e uma correta noção da prepotência inerente à condição de espécie dominante, faria parte da nossa dieta. Teríamos uma idéia mais exata da nossa crueldade indispensável, sem a qual não viveríamos. Sorte nossa que os vegetais e os animais não têm nem uma linguagem, quanto mais um discurso organizado. Não os comeríamos com a mesma empáfia se tivessem. O único consolo deles é que também padecemos da falta de comunicação: ainda não encontramos um jeito de negociar com os germes, convencer os vírus a nos pouparem com retórica e dar remorso em epidemias.

Eu às vezes fico pensando em como seria se os brasileiros falassem. Se protestassem contra o que lhes fazem, se fizessem discursos indignados em todas as filas de matadouros, se cobrassem com veemência uma participação em tudo o que produzem para enriquecer os outros, reagissem a todas as mentiras que lhes dizem, reclamassem tudo que lhes foi negado e sonegado e se negassem a continuar sendo devorados, rotineiramente, em silêncio. Não é da sua natureza, eu sei, só estou especulando. Ainda seriam dominados por quem domina a linguagem e, além de tudo, sabe que fala mais alto o que nem boca tem, o dinheiro. Mas pelo menos não os comeriam com a mesma empáfia.

Definições

O espírito de Natal traz sentimentos de solidariedade e congraçamento universal. Mas o espírito de Natal, como se sabe, dura uma semana. Como seria se, em vez do exemplo de Cristo, nos defrontássemos com uma emergência definidora de caráter? Como o anúncio de que um asteróide iria se chocar com a Terra, e não houvesse nada a fazer para evitar o nosso fim?

Como nos comportaríamos? Nos convenceríamos, finalmente, de que somos uma única espécie frágil num planeta precário e viveríamos nossos últimos anos em fraternidade e paz ou reverteríamos ao nosso cerne básico e calhorda, agora sem qualquer disfarce?

Nos tribalizaríamos ainda mais ou descobriríamos nossa humanidade comum, e como eram ridículas as nossas diferenças? Jogaríamos nosso dinheiro fora ou cataríamos o dinheiro que os outros jogassem fora pensando na remota possibilidade, ainda mais com reais, de comprar um lugar no último foguete a deixar a Terra antes do impacto?

Perderíamos todo interesse nos prazeres da carne e trataríamos de salvar a nossa alma ou, pelo contrário, nos entregaríamos à lascívia, ao deboche e à gula, pagando tudo com cheques?

Como os cientistas nos diriam até o segundo exato do choque com o asteróide com alguns anos de antecedência, seríamos a primeira geração sobre a Terra a viver com a certeza pré-calculada do seu fim — e a última, claro. Muitas seitas através da História e até hoje estabeleceram a hora e o modo de o mundo acabar e se prepararam para o evento. Nós seríamos os primeiros com evidência científica do fim em vez da crença, o que nos levaria a tratar a ciência como hoje muitos tratam as crenças. Pois só a desmoralização total da ciência, só chamar seus sistemas de ocultismo e seus cálculos de feitiçaria, nos daria a esperança de que o asteróide, afinal, passaria longe.

E se existissem mesmo foguetes salvadores e bases na Lua e em Marte esperando os sobreviventes, estaríamos diante de uma situação *Titanic*. Quem vai nos foguetes? Tem que ser americano? Quanto custaria uma terceira classe? Aceitam cartão?

E outra coisa. Haveria uma natural hierarquização na escolha dos homens para fugir do planeta condenado. Quem iria? Os fortes e férteis, para continuar a raça humana em outro planeta, certo. Médicos e técnicos, claro. Empreendedores, para abrir negócios. E cronistas de meia-idade (ou, vá lá, dois terços de idade), sem dúvida. A humanidade precisaria de cronistas, para lhe explicar seu destino desconhecido e distraí-la. Muito mais do que velhinhas sem qualquer serventia ou crianças que só irritariam todo o mundo com seu choro. Cronistas são indispensáveis! Ou então espero que aceitem reais.

O eterno retorno

Diziam que quem ficasse sentado na frente do café Deux Magots em Paris por um tempo indeterminado veria passar todo o mundo à sua frente. Um exagero, claro, parecido com aquele dos mil macacos ao teclado de mil computadores, que no fim de um milhão de anos (estamos falando de macacos longevos) teriam reescrito toda a obra de Shakespeare — e ido comemorar no Deux Magots, presumivelmente. Mas quem escolher um ponto imóvel da política brasileira e esperar cedo ou tarde verá acontecer de tudo à sua volta. Principalmente o Maluf passar várias vezes.

Se há muitos anos alguém lhe dissesse que Fernando Henrique Cardoso seria o presidente do Brasil, você teria todo o direito de se entusiasmar, ou dizer "Quem nos dera". Seria um sinal de madureza política: uma esquerda com boa cara e sensata, uma opção socialdemocrata com respeitabilidade acadêmica, finalmente a geração da resistência à ditadura no poder com o que tinha de melhor. Quem poderia imaginar que seu governo seria do PFL?

Se há poucos anos alguém lhe dissesse que o Lula seria o presidente do Brasil, você teria todo o direito de se entusiasmar, ou dizer "Só acredito vendo". Seria um sinal de que acabava o preconceito político que um homem do povo com um claro ideário de esquerda, da geração da resistência à ditadura militar e à socialdemocracia comprometida chegava ao poder com o que tinha de mais representativo. Como poderia imaginar que o seu governo seria do PSDB?

Está certo, a reincidência do Maluf é um atestado da inconseqüência reinante no Brasil, onde nada tem história e ninguém tem biografia, ou pelo menos biografia relevante. Maluf é o símbolo dessa constante reabsolvição, dessa licença sempre renovada para a regeneração que salva nossa elite política do seu passado e dos seus prontuários e nossos contestadores das suas incoerências.

Sem vacina

Os horrores do cotidiano brasileiro nos inoculavam como vacina: cada dose de horror reforçava os anticorpos que protegiam a nossa sanidade. A barbárie banalizada nos insensibilizava, e a indignação e a resignação encontraram seu ponto de equilíbrio em nossas veias. Não se sobrevive em meio à miséria do país mais desigual do mundo sem essa imunização adquirida, a única maneira de viver aqui com um mínimo de normalidade, para quem não é um insensível nato. Mas as vacinas previnem contra germes rotineiros. O terror dos imunologistas é o germe novo, o germe imune à prevenção, o germe até então desconhecido. A escalada de horrores no noticiário brasileiro dos últimos tempos desafia todas as nossas defesas. Com aquele incêndio do ônibus com pessoas presas no seu interior, depois com a história do menino arrastado até a morte, entramos no terreno do horror inimaginável, do horror inédito. E com medo de que este também se banalize. Nada na longa história da miséria humana brasileira nos vacinou contra isso.

O que move a humanidade

Existem muitas teorias sobre o que fez o Homem dominar o planeta e construir civilizações enquanto o joão-de-barro, por exemplo, só consegue construir conjugados, e levar grandes mulheres para a cama enquanto o máximo que um gorila conseguiu foi segurar a mão da Sigourney Weaver. Dizem que o cavalo é mais bonito do que o Homem e a barata é mais resistente, mas não há notícia de uma fuga a três vozes composta por um cavalo ou uma liga de aço inventada por uma barata. Tudo se deveria ao fato de uma linhagem particular de macacos ter desenvolvido o dedão opositor, com o qual conseguiu descascar uma banana e segurar um tacape, as condições primordiais para dominar o mundo. A vaidade, outra característica exclusivamente humana (o pavão também é vaidoso, mas não gasta uma fortuna com as penas dos outros para fazer sua cauda) também teria contribuído para que o Homem prevalecesse, pois de nada lhe adiantariam suas façanhas com o polegar, e com as mulheres, se não pudesse contar depois. Daí nasceu a linguagem, e com ela a mentira, e o Homem estava feito.

Mas eu acho que a verdadeira força motriz do desenvolvimento humano, a razão da superioridade e do sucesso do Homem, foi a preguiça.

Com a possível exceção da própria preguiça, nenhum outro animal é tão preguiçoso quanto o Homem. O desenvolvimento do dedão opositor nasceu da preguiça de combinar dentes e garras para comer e ainda ter que limpar os farelos do peito depois. A linguagem é fruto da preguiça de roncar, grunhir, pular e bater no peito para se comunicar com os outros e, mesmo, ninguém agüentava mais mímico. A técnica é fruto da preguiça. O que são o estilingue, a flecha e a lança senão maneiras de não precisar ir lá e esgoelar a caça ou um semelhante com as mãos, arriscando-se a levar a pior e perder a viagem? O que estaria pensando o inventor da roda senão no eventual desenvolvimento da charrete, que, atrelada a um animal menos preguiçoso do que ele, o levaria a toda parte sem que ele precisasse correr ou caminhar?

Dizem que a agressividade e o gosto pela guerra determinaram o avanço científico da humanidade, e se é verdade que a maioria das invenções modernas nasceu da necessidade militar, também é verdade que o objetivo de cada nova arma era o de diminuir o esforço necessário para matar os outros. O produto supremo da ciência militar, o foguete intercontinental com ogivas nucleares múltiplas, é uma obra-prima da preguiça aplicada: apertando-se um único botão se matam milhões de outros sem sair da poltrona. Uma combinação perfeita do instinto assassino e do comodismo. A apoteose do dedão.

Toda a história das telecomunicações, desde os tambores tribais e seus códigos primitivos até os sinais de TV e a internet, se deve ao desejo humano de enviar a mensagem em vez de ir entregá-la pessoalmente ou mandar um guri resmungão. A fome de riqueza e poder do Homem não passa da vontade de poder mandar outros fazerem o que ele tem preguiça de fazer, seja trazer os seus chinelos ou construir as suas pirâmides. A química moderna é a filha da alquimia, que era a tentativa de ter o ouro sem ter que procurá-lo, ou trabalhar para merecê-lo. A física e a filosofia são produtos da contemplação, que é um subproduto da indolência e uma alternativa para a sesta. A grande arte também se deve à preguiça. Não por acaso, o que é considerada a maior realização da melhor época da arte ocidental, o teto da Capela Sistina, foi feita pelo Michelangelo deitado. Proust escreveu o *Em Busca do Tempo Perdido* deitado. Vá lá, recostado. As duas maiores invenções contemporâneas, depois do antibiótico e do microchip, que são a escada rolante e o manobrista, devem sua existência à preguiça. E não vamos nem falar no controle remoto.

Produtos do meio

Ainda se discute se criminalidade epidêmica como a do Brasil tem causas sociais ou não. Se o criminoso é um produto do meio ou de uma combinação de patologia e oportunidade: bandido é bandido em qualquer meio, age mais se for reprimido menos. A culpa não seria da miséria, seria de falhas do caráter e da segurança nacionais.

Mesmo aceitando-se a tese reacionária de que pobreza não gera crime (já que a grande maioria dos pobres não rouba, não mata, obedece às leis etc.), há uma maneira em que o meio influencia o criminoso e o condiciona a matar com naturalidade. Pelo exemplo.

Todo brasileiro recebe, desde que nasce, uma educação em descaso. Nas privações que sofre ou vê sofrerem à sua volta, tem um curso prático e permanente de desprezo pela vida. Um Estado oligárquico que desdenha dos direitos básicos de mais da metade da sua população é um Estado criminoso. Uma elite que constrói simultaneamente uma economia de fantasia para ela e uma das sociedades mais desiguais do planeta para a maioria é uma elite serial killer. Nos dois casos, são péssimos exemplos para as crianças.

Aceitando-se a tese ainda mais reacionária de que a questão social é uma questão de polícia, o meio continua responsável pelo crime. Basta calcular o que poderia ter sido aplicado em segurança do que foi pago em juros para manter nossa dependência do capital especulativo internacional — uma forma de sobrevivência econômica que não se deve à fatalidade ou à falta de alternativas, mas foi conscientemente escolhida e mantida.

É comum ouvir-se sobre os seguidos massacres nas nossas estradas durante um feriadão que, mais uma vez, a imperícia e a imprevidência dos motoristas brasileiros causaram mortes que poderiam ter sido evitadas. Seriam evitadas em estradas mais seguras, que não foram construídas porque não havia verba, que foi gasta em algo mais importante do que preservar vidas humanas, que é preservar o crédito no cassino. Mais uma vez atribui-se ao caráter nacional, no caso a falhas genéticas dos motoristas, o que é culpa do meio.

A teoria unificada

Os físicos vivem atrás de uma teoria unificada do Universo que explique tudo. Todo o mundo persegue a tal teoria unificada, ou unificadora, por trás de tudo. Só varia o tudo de cada um. As religiões têm suas teorias unificadas: são suas teologias. Diante de um religioso convicto você está diante de alguém invejável, alguém que tem certeza, que chegou na frente da ciência e encerrou a sua busca. A ciência e as grandes religiões monoteístas começaram da mesma diversidade — os deuses semi-humanos e convivas da Antiguidade, as deduções empíricas da ciência primitiva — e avançaram, com a mesma avidez, do complicado para o simples, do diverso para o único. Só que o monodeus da ciência ainda não mostrou a sua cara.

Na política e nos assuntos do mundo também existe a busca da explicação absoluta, da teoria do por trás de tudo. Não é exatamente a tentação do conspiratório. Teorias conspiratórias exigem trabalho, estudo, a meticulosa exegese de coincidências e fatos obscuros. A teoria unificadora não requer esforço, é justamente um pretexto para não pensar.

Diante de um neomacarthista convicto você também está na presença de uma certeza admirável: por trás de tudo estão os comunistas, por que procurar mais? Outras convicções, outras teorias. Por trás de tudo está a maçonaria egípcia. Por trás de tudo estão dezessete pessoas que se reúnem todos os meses num certo hotel da Baviera e... Por trás de tudo estão sete financistas judeus. Ou três xeques árabes. Ou os Rockefeller. Ou os templários. Você sabia que os americanos sabiam do ataque ao World Trade Center? Aproveitaram o atentado para atacar o Afeganistão e assegurar o suprimento de petróleo da região, ameaçado pelo Talibã. E Bush, claro, é sócio do Bin Laden em vários empreendimentos. E...

No fundo, o que nos atrai não é a explicação unificadora. Pode ser a teoria mais fantástica, não importa. O que nos atrai é a simplicidade. O melhor de tudo é a desobrigação de pensar.

Fatalismo

De todos os persistentes horrores brasileiros, o pior, talvez porque represente tantas coisas ao mesmo tempo, é o horror do sistema penitenciário. Ele persiste há tanto tempo porque, no fundo, é o retrato do que a elite brasileira pensa do povo, e portanto nunca chega a ser um horror exatamente insuportável. Pois se fica cada vez mais infernal, apesar de todas as boas intenções de reformá-lo, é infernal para bandidos, que afinal merecem o castigo.

A cadeia brasileira é um resumo cruel da nossa resignação à fatalidade social. Pobre não deixará de ser pobre, negro não deixará de ser escravo, mesmo disfarçado, e a idéia da reabilitação, em vez do martírio exemplar do apenado, por mais que seja proclamada como uma utopia a ser buscada quando sobrar dinheiro, é a negação deste fatalismo histórico. É uma idéia bonita, mas não é da nossa índole. Ou da índole da nossa elite.

É impossível a gente (que vive aqui em cima, onde tem ar) imaginar o que seja essa subcivilização que se criou dentro dos presídios brasileiros, principalmente dentro do sistema paulista, onde as pessoas vivem e morrem pelas leis ferozes de uma sociedade selvagem — mas leis e sociedade assim mesmo.

    O que está sendo representado por essa selvageria tão desafiadoramente organizada? Que lá dentro o país é igual ao que é aqui fora, menos os disfarces e a hipocrisia, e que tudo não passa de uma paródia sangrenta para nos dar vergonha? Ou que eles são, finalmente, a classe animal sem redenção possível que o país passou quinhentos anos formando, fez o favor de reunir numa superlotação só para torná-la ainda mais desumana e que agora o aterroriza?

    Como sempre, a lição dos fatos variará de acordo com a conveniência de cada intérprete. As rebeliões reforçam a resignação, provando que bandido não tem jeito mesmo ou só matando, ou condenam o fatalismo que deixou a coisa chegar a este ponto assustador. De qualquer jeito, soluções só quando sobrar algum dinheiro.

Antiingleses

Os ingleses fizeram a sua revolução republicana antes dos franceses, mas, sabiamente, voltaram atrás e mantiveram a monarquia, intuindo que um poder não pode governar e dar espetáculo ao mesmo tempo. Na Inglaterra, o Parlamento governa e a monarquia dá o espetáculo. A sabedoria da decisão se confirmou na era dos tablóides, para a qual o Parlamento tem dado sua cota de escândalos e circunstância, mas nada parecidos com os fornecidos pela família real. Pois o que são os rituais cotidianos e pecados venais de plebeus comparados com a pompa e as indiscrições de príncipes e princesas? A realeza é paga para ser o teatro do poder, uma representação do Estado como drama familiar, como *sitcom*, para inspirar, divertir ou indignar os súditos, enquanto os parlamentares governam.

No Brasil, acontece o contrário. Somos antiingleses. Aqui o Parlamento é a família real e o rei é o Parlamento. Como não tem mais nada para fazer, já que o país é administrado por medidas provisórias, o Congresso dá espetáculo. Nos revela a sua intimidade, os seus conflitos de lealdades e escrúpulos, os seus podres, as suas culpas e expiações — e suas rainhas-mães e seus maus atores — e concentra o interesse de imprensa e público num debate sobre nada muito relevante. Enquanto isso, o rei não apenas usurpou a função do Parlamento, como recuperou alguns privilégios da monarquia absoluta, anteriores a todas as revoluções, como a inviolabilidade da sua vida privada, além do poder de governar por decreto. Os escândalos do palácio, ao contrário dos escândalos do Parlamento, nunca se criam. O direito divino do soberano foi substituído pela presunção tácita da sua honorabilidade pessoal, mas a intenção é a mesma: mantê-lo acima do feio espetáculo dos "comuns" se interdevorando em público.

Já se disse que o Brasil está várias revoluções atrasado. Nem o fim do feudalismo foi providenciado ainda. Mas se é verdade que não dá para tentar implantar o sistema inglês aqui — como naquele anúncio que oferecia mudas de árvores milenares —, pode-se ao menos tentar acertar o funcionamento dessa nossa monarquia parlamentar ao avesso.

Na própria Inglaterra já tem muita gente achando que a monarquia é um anacronismo condenado, cujo custo não compensa o teatro. Vão acabar dizendo o mesmo do Congresso brasileiro.

O inimaginável

Levei meu sistema gástrico para passear e a cabeça foi junto: durante três semanas a única notícia do Brasil que me interessou foi a posição do Internacional na tabela. Ouvi alguma coisa sobre o escândalo das drogas contrabandeadas e do dinheiro desaparecido na Polícia Federal, mas tudo parecia vago e longe, como um clarão no horizonte. Nada que desviasse a atenção do prato na frente ou do prazer do momento. Em outras fugas voluntárias eu podia imaginar o que se passava por aqui. Mas o Brasil de ultimamente se tornou imprevisível demais, se tornou inimaginável. Antes a distância era uma oportunidade para se pensar no Brasil sem a distração de estar no Brasil. Hoje você prefere não pensar no Brasil, nem que seja para não afetar a digestão. E qualquer pensamento corre o risco de ficar velho em dois minutos. Ou em dois escândalos.

Mas voltei dessa fuga mais filosófico, além de mais gordo, e minha tese hoje é a seguinte: o que é inimaginável não existe. O Universo, por exemplo. Nós não conseguimos imaginar o Universo. Seus limites, suas origens, seu fim, suas intenções, sua razão de ser. Simplesmente não estamos equipados para isto. Se você se contenta com a idéia de um Deus criador, fique com ela. Feche com ela. Porque além dela começa o grande vazio do humanamente inconcebível. E o que não pode ser concebido não tem lugar nesta esponja provisória, o nosso cérebro. Não adianta espremê-lo. Ele não foi feito para compreender o que não tem nem a capacidade de imaginar. Esqueça o Universo. Outra coisa inimaginável é a nossa morte. Ninguém concebe não existir. E em vez de perder tempo procurando alternativas para o bruto fato de que a vida acaba, console-se com isto: a nossa morte é um fato para os outros, não para nós. A nossa morte também não existe. Esqueça-a.

Não sei se minha filosofia se aplica ao caso nacional. A gente não pode esquecer o Brasil dos escândalos que se atropelam, de gente roubando que quem diria, da hipocrisia e das calhordices explícitas, não pode decretar que ele não existe — ou fugir dele definitivamente. Resta a nós a contemplação fascinada da sua imprevisibilidade crescente. E, como está provado que tudo pode acontecer neste nosso Universo inescapável, aprender a viver num país além da imaginação.

Os otários necessários

Gosto de repetir a frase de um personagem do John Le Carré, que diz que ama a hipocrisia porque é o mais próximo que o homem jamais chegará da virtude. Não é a frase de um moralista desencantado, que odiaria qualquer substituto da virtude, ou de um cético terminal, que não amaria a virtude nem fantasiada. É a frase de quem acha que moral de mentira é melhor do que moral nenhuma. Que concorda que, se Deus não existe, tudo é permitido — para citar outro personagem literário —, mas acrescenta: inclusive viver como se Deus existisse.

O Nelson Rodrigues atualizou a frase do Dostoiévski, e no meio de uma suruba federal (acho que a peça é do tempo em que o Rio ainda era a capital do Brasil, uma capital da qual ninguém fugia nos fins de semana) um dos seus personagens grita "Se Vinicius de Moraes existe, tudo é permitido!". Mas nem a ausência de Deus ou a doce devassidão dos poetas vence a necessidade de fingir que vivemos num universo moral, portanto de sermos hipócritas praticantes.

A frase sobre o amor à hipocrisia poderia ser de qualquer brasileiro decidido a resistir à desesperança e ao cinismo, por mais que o provoquem. Não somos otários, como pensam. Somos hipócritas. Isto é, otários conscientes, otários assumidos, otários porque o contrário seria sucumbir ao amoralismo dos outros. Otários porque alguém neste país tem que fingir que é virtuoso. Para que a hipocrisia funcione e nos salve do caos é preciso que a maioria faça seu papel: de otários. Nenhum brasileiro tem dúvida de que é logrado em tudo, e não só no balcão da farmácia. A política que lhe vendem há anos também é para otários. Essa elite é essa elite porque há anos logra os otários, ela não existiria se os otários não estivessem compenetrados no seu papel. Aqui ninguém é otário por ingenuidade, é tudo simulação, tudo estratégia. São os otários que sustentam a República. No Brasil, a hipocrisia é uma forma de patriotismo.

As calçadas

O inglês tem um verbo curioso, *to loiter*, que quer dizer, mais ou menos, andar devagar ou a esmo, ficar à toa, zanzar (grande palavra), vagabundear ou simplesmente não transitar. E nos Estados Unidos (não sei se na Inglaterra também), *loitering* é uma contravenção. Você pode ser preso por *loitering*, ou por estar parado em vez de transitando, numa calçada. O que constitui *loitering*, e portanto crime, e o que é apenas inocente ausência de movimento ou direção depende, imagino, da interpretação do guarda, ou daquela sutil subjetividade que também define o que é "atitude suspeita". Mas é difícil pensar em outra coisa que divida mais claramente o mundo anglo-saxão do mundo latino do que o *loitering*, que não tem nem tradução exata em língua românica, que eu saiba. Se *loitering* fosse contravenção na Itália, onde ficar parado na rua para conversar ou apenas para ver os que transitam transitarem é uma tradição tão antiga quanto a sesta, metade da população viveria na cadeia. Na Espanha, toda a população viveria na cadeia.

Talvez a diferença entre a América e a Europa, e a vantagem econômica da América sobre os povos que zanzam, se explique pelos conceitos diferentes de calçada: um lugar utilitário por onde se ir (e, claro, voltar) ou um lugar para se estar, de preferência com outros. Os franceses, apesar de latinos, não costumam usar tanto a calçada como sala, não porque tenham se americanizado tanto que adotaram o *loitering* criminalizado para aumentar a produção, mas porque preferem usá-la como café, e estar com os outros sentados. Desperdiça-se tempo, mas ganham-se anos de vida, parados numa calçada.

As grandes cidades brasileiras que perderam o seu centro também perderam o hábito do papo ocioso na rua. A falta de segurança nos transformou em assustados bichos-de-toca. No nosso uso das calçadas, não somos mais europeus folgados e não somos americanos determinados. Somos fugitivos.

As condições do tigre

!

A nova respeitabilidade internacional

da China é um triunfo da *Realpolitik*, o nome de fantasia da hipocrisia dos Estados Unidos, e um triunfo, claro, da própria nova China e do seu próprio pragmatismo modernizador, mas de que mais? É um exemplo inspirador ou perigoso? Lá se deu uma experiência de engenharia social muito mais radical do que na Rússia, gerações inteiras foram sacrificadas antes que começasse a dar certo com uma convicção de dar inveja aos que, aqui, decretam que é preciso que alguns morram fazendo o bolo antes de dividi-lo, só que o bolo nunca aparece. Ou o exemplo aproveitável da China, em vez da coletivização forçada e seus horrores, é a independência? Talvez aproveitasse a outros países do tamanho da China — não vamos citar nomes — serem "perdidos", e depois reencontrados em outro nível, pelos Estados Unidos.

Pense na China

Sugestão para um dia em que você não tiver nada com o que se preocupar e estiver até convencido de que o mundo pode melhorar, deve melhorar, tem que melhorar. Finja que é agora. Simule otimismo. Imite alguém acreditando no futuro com toda a força. Faça cara de quem não tem dúvidas de que tudo vai dar certo. Convença-se de que tudo vai dar certo. Pronto? Agora pense na China.

Desanimou, certo? É impossível pensar na China e continuar, mesmo em fingimento, despreocupado. Dentro de muito pouco tempo vai acontecer o seguinte: a China vai tornar o resto do mundo supérfluo. Não vai ser preciso existir mais ninguém, de tanto que vai existir a China. O nosso destino é, enquanto a China cresce, irmos ficando cada vez mais desnecessários. Em o quê? Vinte anos? A China terá o maior parque industrial, com a mão-de-obra mais abundante e, portanto, mais barata da Terra, e produzirá de tudo para o maior mercado consumidor da Terra, que será qual? O dos chineses, mesmo ganhando pouco. A China concentrará toda a atividade econômica do planeta entre as suas fronteiras. A China se bastará.

Mas não pense que vamos ficar assistindo ao espetáculo da auto-suficiência chinesa da cerca, esperando alguma sobra. Antes de se tornar definitivamente autocapaz, a China terá que garantir as fontes da sua energia. O seu inevitável choque com aquele outro sorvedouro de combustível fóssil, os Estados Unidos, pelas últimas reservas de petróleo do mundo pode literalmente nos arrasar. Sugestão para reflexão antes de dormir esta noite, se você conseguir dormir: o petróleo do Oriente Médio escasseando, dois monstros sedentos cuja sobrevivência depende do petróleo se enfrentando — e nós no meio. Ganhará o confronto final, nuclear ou não, quem tiver mais gente. A China tem muito mais gente do que os Estados Unidos.

Enquanto isto, a Índia... Mas chega. Reanime-se. A vida é boa, há borboletas e os pêssegos estão ótimos. Eu, na verdade, não tenho com o que me preocupar mesmo. Estou a caminho da fase pré-fóssil e não estarei aqui quando tudo isto acontecer. Mas só queria avisar.

As diferenças

Há muito se discute por que o Brasil não é os Estados Unidos. Temos mais ou menos o mesmo tamanho, a mesma idade e mais riquezas naturais — por que eles são o que são e nós continuamos deitados eternamente em etc.? Há várias teses, desde a geográfica (eles não tinham como nós uma muralha separando uma costa estreita do resto, a tese da culpa da serra) até a racial (latinos não são anglo-saxões, portugueses não são ingleses, ninguém é preconceituoso, mas pera aí um pouquinho), passando pela religiosa (protestantes fazem melhores capitalistas e empreendedores, católicos custaram a ficar à vontade com a usura, que já foi pecado, por isso se atrasaram) e a tese do imponderável, onde entram clima e caráter.

A diferença também estaria na nossa aversão a resoluções: não levamos as coisas ao seu limite natural, seja a outro oceano ou à guerra. Nos Estados Unidos a escravatura acabou no pau, aqui não acabou, continuou disfarçada. Lá a guerra civil foi moral e humanitária para os negros deles, mas foi principalmente econômica, significou a derrota de uma oligarquia rural retrógrada pela nova economia industrial e agroindustrial. Aqui a oligarquia rural manteve o poder real através de todo o nosso efêmero processo de industrialização e só vai largá-lo para o capital financeiro: passaremos da barbárie para a pura especulação sem o gostinho de uma indústria nacional conseqüente. E a guerra civil que não houve acontece todos os dias, também mais ou menos disfarçada, ano após ano, nas batalhas pela terra.

Mas eu acho que a grande diferença está na sorte — e na qualidade dos nossos respectivos corruptos. Toda a conquista do Oeste americano foi feita por grandes caloteiros que tiveram dos bancos a tolerância que hoje eles não têm com endividados do Terceiro Mundo. Sorte. Também tiveram a sorte de viver numa época em que dívidas honradas valerem mais do que vidas humanas não era a ética dominante. Tiveram a sorte, acima de tudo, de se desenvolverem sem os Estados Unidos dando palpites falsamente desinteressados no seu ouvido. Os Estados Unidos foram os seus próprios Estados Unidos, isso sozinho explica quase toda a diferença. E como paraísos fiscais e contas numeradas na Suíça não eram comuns no século XIX e Miami ficava lá mesmo, os corruptos americanos, ao contrário dos nossos, juntavam e gastavam seu dinheiro em casa, ajudando a movimentar a economia local. Corruptos mais patriotas, eis a resposta.

A questão

É difícil imaginar um negro como Barack Obama sendo eleito presidente — do Brasil. Dos Estados Unidos, talvez. Lá, um negro já chegou a secretário de Estado, e foi substituído no cargo por uma negra. Desculpe: afro-descendente. Pelo menos não escrevi "um negão como Barack Obama", ou, para mostrar que não sou racista, "um negrinho". A diferença entre um país e outro é essa. Lá, o racismo é uma questão nacional. Aqui, uma ficção de integração dilui a questão racial. E se a questão não existe, se ninguém é racista, por que nos preocuparmos com denominações corretas ou incorretas? Só quando a ficção é desafiada, como no caso das cotas universitárias, é que aparece o apartheid que não se reconhece.

Um dos marcos das relações raciais nos Estados Unidos não foi a primeira vez em que um negro interpretou um herói no cinema, provavelmente o Sidney Poitier. Nem a primeira vez em que um negro e uma branca, ou vice-versa, namoraram na tela. Foi a primeira vez em que um negro foi o vilão do filme. Colin Powell e Condoleezza Rice, que chegaram a secretários de Estado, e o próprio Obama, devem suas carreiras a esse vilão histórico, que significou o fim dos estereótipos e a aceitação, sem melindres, de que negro também pode ser ruim, igual a branco. Se a cor da pele não determinava mais que ele fosse sempre retratado como um inferior virtuoso ou uma vítima, também não o discriminava de outras maneiras. Powell e Rice levaram essa reversão de estereótipos ainda mais longe. Os dois são do partido republicano. Como Clarence Thomas, único juiz negro da Suprema Corte americana, que também é um dos seus membros mais conservadores.

Claro que a cor da pele vai ser um fato na eleição ou não do Obama, como o fato de ser mulher vai ajudar ou não a Hillary. Por isso mesmo, sua possível eleição seria uma prova dessa transformação da questão racial no país, uma vitória numa guerra por direitos iguais que lá — ao contrário do Brasil — nunca foi disfarçada, ou desconversada. Aqui, a miscigenação significou que alguns quase-negros, ou só um pouco afro-descendentes, chegassem ao poder, mas miscigenação entre nós não tem significado integração por vias naturais, e sim apenas outra forma de despolitizar e adiar a questão.

Obama será o candidato dos democratas? Estão comparando sua campanha com a de Bob Kennedy, pelo entusiasmo que provoca numa faixa de idade que não se interessava tanto por política desde a mobilização contra a guerra do Vietnã. Li que 40 por cento dos americanos que podem votar este ano nunca conheceram outro presidente que não fosse um Bush ou o Clinton, e Hillary seria outro Clinton nessa dança de dinastias. Assim, Obama seria uma novidade em mais do que o sentido racial. Como se precisassem outros.

Na comparação com Bob Kennedy, claro, ninguém ainda lembrou (pelo menos não sem bater na madeira) que aquela novidade terminou numa poça de sangue, no chão de uma cozinha de hotel. Batamos todos na madeira.

Os brancos

Eu já fiz a minha parte. Li que, para a raça branca não desaparecer em poucas décadas, teria que manter uma taxa média de natalidade de 2,1 filhos. Tive três filhos, 0,9 mais do que o requerido. Mas não sei se contam. É tamanho o coquetel de raças que deu nos três, desde uma bisavó tipicamente alemã até um avô com cara de índio, que fica difícil calcular sua branquidão. Acho melhor a raça branca não contar com a nossa ajuda.

A questão é séria, nos Estados Unidos e na Europa. Lembro que, quando moramos na Itália há alguns anos, um problema social muito discutido — incompreensível para um brasileiro — era o excesso de vagas nas escolas públicas. Os italianos simplesmente não estavam produzindo alunos suficientes para suprir a capacidade ociosa das escolas. Na França o governo estimula, com prêmios e subsídios, a fertilidade. As campanhas "faça mais bebês" têm como alvo óbvio nativos brancos, no pressuposto de que imigrantes e outras raças não precisam de incentivo. Implícita nas campanhas está uma mensagem apocalíptica: casais brancos modernos que preferem ter carreiras modernas e vidas domésticas mais fáceis em vez de filhos estão condenando sua raça à extinção.

Nos Estados Unidos, os *survivalists* se preparam há anos para o momento em que os poucos americanos brancos que sobrarem se acastelarão contra os hispânicos e negros que dominarão o país, e já existe uma considerável literatura premonitória sobre essa resistência às hordas. Até revistas especializadas em sobrevivência e guerrilha, para quando o momento inevitável chegar.

Uma alternativa às piores previsões para a raça branca acuada, nos Estados Unidos e na Europa, é um futuro em que os brancos que sobrarem serão mantidos em santuários protegidos, como os gorilas, hoje. Um pouco como já se vê nos condomínios fechados, no Brasil. Dentro dos santuários os brancos poderão recriar seu habitat e preservar seus hábitos com segurança, e a procriação será priorizada, talvez com a transmissão de música romântica por alto-falantes e a distribuição de estímulos sexuais aos sábados, para que não desapareçam por completo.

O fato é que os brancos estão perdendo a guerra demográfica. Não tenho nenhuma simpatia especial pela raça branca, mas torço para que haja uma reação, nem que seja só para manter o interesse da competição. Vamos lá! Ânimo, gente!

Começar de novo

Há tempos li uma boa comparação: a China é como a internet. Todo o mundo sabe que uma coisa daquele tamanho, com tanto público, tem que ser um sucesso comercial e dar lucro. Mas ninguém ainda sabe exatamente como.

Não falta gente tentando descobrir. O tamanho do mercado potencial chinês, mais de um bilhão de pessoas, derrotou as restrições americanas ao velho inimigo comunista e suas violações de direitos humanos, pois se não se perde muita coisa bloqueando Cuba, despreza-se quase um quarto da população mundial discriminando a China. E os chineses estão sendo tão pragmáticos quanto os americanos. Com sua abertura controlada para investimentos externos e multinacionais, quintuplicaram sua economia nos últimos vinte anos. Mas li que as esperanças mais otimistas, de gente que sonhava com fortuna instantânea se conquistasse apenas meio por cento do mercado chinês, estão sendo frustradas. Descontando-se os 900 milhões de camponeses e os urbanos economicamente marginalizados, sobra uma classe média equivalente à dos Estados Unidos, com uma renda média muito inferior e hábitos de poupança mais conservadores. Algumas empresas como a Coca-Cola, claro, e a Motorola estão dando certo no complicado mercado chinês, mas 60 por cento dos investidores estrangeiros ainda não ganharam nada, e os que ganham, ganham pouco. Uma das coisas com que os estrangeiros não contavam é que haveria empresas chinesas, mais acostumadas com a burocracia e a corrupção locais, disputando o mesmo mercado. De qualquer maneira, como no caso da internet, cedo ou tarde a lógica prevalecerá. E estaremos todos produzindo para vender na China — e comprar da China.

Que país de tamanho parecido com o nosso serviria como modelo para o Brasil, excluídos os próprios Estados Unidos? Para defender uma imitação da China, só fazendo como aquele enólogo francês contratado para produzir vinhos iguais aos da França na Califórnia, que, depois de plantadas as videiras e instalados os equipamentos, disse: "Pronto, agora é só esperar trezentos anos." Além de 3 mil anos de civilização, precisaríamos passar por algumas revoluções para chegar ao mesmo ponto, depois de decidir se o sucesso valeria tanto sangue. (Desconfie sempre dos que pregam banhos de sangue, eles sempre se referem ao sangue dos outros.) A Índia parecia um exemplo do que se queria evitar, um Brasil levado às piores conseqüências. Hoje é um exemplo de desenvolvimento acelerado, mas a partir de coisas que aqui ainda parecem remotas — como uma reforma agrária de verdade, por exemplo. O Canadá seria um bom modelo, mas grande parte do Canadá é só paisagem, sem gente. E o frio? A Rússia, que trocou o capitalismo de Estado pelo gangsterismo privado, também não serve. A Austrália pelo menos desmente aquelas pessoas que dizem que o problema do Brasil foi a qualidade da nossa colonização por Portugal. Foi povoada por degredados e prostitutas e deu no que deu. A Argentina? Precisaríamos ser argentinos.

O grande modelo para o Brasil dar certo talvez seja o próprio Brasil — nenhum outro tem as mesmas características, história etc. É só começar de novo — desta vez, com muito petróleo!

Ruídos

A única linguagem verdadeiramente internacional é a linguagem do corpo. Não, não os gestos: os ruídos. A tosse, o espirro, o pum, o trombone de sovaco, você os conhece. Também é a única linguagem autêntica. Talvez por isso mesmo haja tanta preocupação em disfarçá-la, e desencorajar o seu uso em público. Desde pequenos aprendemos a reprimir, na medida do possível, as manifestações naturais do nosso corpo, e a nos sentirmos embaraçados quando não dá para controlar e o corpo se faz ouvir claramente, causando espanto e mal-estar. Ao mesmo tempo, aprendemos a nos expressar com palavras e frases — ou seja, a linguagem da dissimulação, da mentira e, ela sim, da ofensa — que, por mais bem pensadas e articuladas que sejam, não têm a honestidade de um bom arroto.

Valorizamos a hipocrisia, condenamos a autenticidade. E o que é mais civilizado, a palavra, que discrimina e exclui, ou o ronco na barriga, que é igual para todos e que aproxima as pessoas, além de muitas vezes descontrair o ambiente? Uns podem ser mais ou menos espalhafatosos, mas todos os homens espirram da mesma maneira. Os puns também são iguais — respeitadas as variações de entonação, inflexão e duração —, independentemente de raça, cor, classe ou credo religioso. E ninguém tosse com sotaque, ou com mais correção gramatical do que o seu vizinho.

    Eu sustento a tese de que, para conferências de paz ou qualquer negociação internacional, os países deveriam mandar "mal-educados", no bom sentido. Pessoas que estabelecessem, de saída, sua humanidade comum, fazendo os ruídos que todos os homens e todas as mulheres (menos) fazem, em qualquer lugar do mundo. A primeira meia hora dos encontros poderia ser só de troca de ruídos do corpo, para criar o clima. Depois, o entendimento viria naturalmente. Mas não, quem é que mandam para essas reuniões? Diplomatas. Logo diplomatas, educadíssimos, incapazes de chuparem um dente na frente de quem quer que seja!

    Não admira que ainda exista tanta discórdia no mundo.

O básico de cada um

Numa hora destas, a tendência é cada um ir procurar a sua tribo. É um instinto natural: na nossa turma, sabemos com quem estamos e que, se não concordamos em tudo, pelo menos não discordamos no básico. Procurar nossa tribo é procurar o nosso básico. Era fácil fazer pouco do patriotismo histriônico com que os americanos reagiram aos ataques de 11 de setembro — bandeiras exibidas e "Deus salve a América" cantado por toda parte —, mas eles estavam apenas atrás de um sentimento de tribo, por primitivo que fosse, para enfrentar a perplexidade. Numa sociedade multirracial e multicultural como a de Nova York, onde hoje em dia nada é mais raro do que ouvir inglês sem sotaque, os símbolos compartilhados eram a linguagem comum da dor e da revolta. Todos pertenciam à tribo provisória dos ultrajados.

Bush também se recolheu à sua tribo. Sua administração é mais reacionária do que se temia que fosse e não se poderia esperar outra atitude de um governo então dominado por Dick Cheney do que a que, parece, prevalecerá na crise. O básico deles é uma idéia de excepcionalidade americana, que tem um pouco da mesma convicção letal dos fundamentalistas islâmicos — as duas tribos consideram sua superioridade sobre as outras evidência suficiente do favorecimento de Deus, e licença para fazer o que quiserem do mundo — só variando a natureza do Deus que os escolheu para a missão. A turma de Bush teve que sacrificar algumas das suas certezas, já que a economia americana precisou de muita intervenção do Estado para sobreviver ao momento, contra todos os seus princípios liberais, mas era inevitável que a América que se mobilizasse para a revanche fosse essa, tribal, confiante acima de tudo no poder dos seus guerreiros.

Deve ser bom ter uma tribo à qual voltar. Tenho inveja de quem tem um Deus ou convicções indiscutíveis para lhe dar força ou segurança, e cujo básico é alguma coisa menos vaga do que o bom senso, ou a suspeita de que nenhuma convicção vale uma vida humana, ou, sei lá, uma predileção pelo Internacional. Quem pertence à tribo dos sem-tribo tinha a ilusão de que o moderno e o saudável eram a superação desta nostalgia da turma primeva e de irmandades pré-racionais. E, de repente, nos descobrimos obsoletos, inocentes e impotentes, os verdadeiros exóticos num mundo que retoma sua imbecilidade básica.

Xadrez

Tabuleiro de xadrez de um vizir louco ou areias movediças, escolha sua metáfora para o que os americanos enfrentam no Oriente Médio e na Ásia Central na sua tentativa de dominar a região. Jogar xadrez com um maluco sobre um sumidouro talvez seja a descrição mais sintética e adequada. Os objetivos americanos são simples, como sempre: retribuição e controle. Os dos orientais, árabes ou não, são arabescos. Paquistão e Índia já ganharam com a necessidade americana de garantir seu apoio contra o inimigo designado, e cada um manobra para ser o parceiro favorito. A oposição no Afeganistão quer o poder do Talibã, a Rússia quer recuperar sua importância numa área da qual foi posta para correr e legitimizar sua própria truculência na Tchetchênia, a China quer estrear como grande potência diplomática, o Irã quer ser o grande poder moderador sem deixar de ser inimigo do grande Satã americano, israelenses e palestinos medem o que pode sobrar para eles na grande rearrumação de conveniências em curso, e todos os governos autocráticos da região e do norte da África querem ajudar a combater o fundamentalismo que os ameaça tanto quanto aos Estados Unidos sem melindrar a massa, que os ameaça ainda mais. Acrescentem-se a isso as questões não resolvidas dos Estados Unidos com o Iraque, os movimentos rebeldes e conflitos de fronteira que não têm nada a ver com a história, mas passam a ter tudo a ver com a situação, e o fato que não se sabe exatamente onde está o inimigo, e compreende-se por que os americanos, que não são de bizantinices, ainda não bombardearam ninguém (até o momento em que divago). Não sabem como evitar o atoleiro sem entornar o tabuleiro, ou vice-versa.

A questão maior — se o que se procura é a simplificação — tem a ver com a Arábia Saudita, cuja situação particular, talvez mais do que o conflito entre Israel e os palestinos, resume a situação geral e seus impasses. A ajuda saudita aos americanos na Guerra do Golfo e a conseqüente presença até hoje de tropas americanas na Arábia Saudita é a maior bronca dos fundamentalistas, a traição do governo absolutista do país de Bin Laden ao Islã, que os islamitas não perdoam. O apoio popular ao islamismo sublevado é grande na Arábia Saudita, cujo governo é o que mais tem a ganhar com uma vitória sobre o terrorismo e o que mais tem a perder com um fiasco. O xadrez que vale, para os americanos, é o que jogam com a Arábia Saudita. Para ser mais simples ainda: é inadmissível para os fundamentalistas muçulmanos que a terra dos principais símbolos do Islã seja praticamente um protetorado americano, é inadmissível para o país que consome mais da metade da energia produzida no mundo que um quarto do petróleo da Terra seja controlado por um governo fundamentalista. Cada um defende o que lhe é sagrado.

A velha senhora irônica

O paradoxo chinês — o maior sucesso capitalista do mundo acontecendo no último país comunista do mundo — pode ser visto como um exemplo apoteótico da irrelevância da política nos dias de hoje ou como apenas outro mistério do inescrutável Oriente. Seja como for, o paradoxo se aprofunda. Li há pouco que se discute agora na China a adoção de leis para proteger o trabalhador do capital predatório, que explora a mão-de-obra barata e inesgotável do país e é o responsável pelo bum das exportações e a disparada econômica. As empresas estrangeiras que atuam na China são contra as novas leis que darão força ao sindicato oficial chinês, o único com permissão de existir, e estabelecerão regras sobre contratação, demissão, direitos trabalhistas etc., que não havia antes.

Quer dizer: fica sem sentido a questão sobre o que realmente venceu na China: a experiência comunista, que sacrificou algumas gerações para que a atual se beneficiasse da economia globalizada, ou o livre mercado e a livre empresa, que dão seu show à revelia de velhos dogmas socialistas e dariam de qualquer jeito. Não vale mais discutir se a lição da China é que o coletivismo forçado foi a condição para o progresso atual ou só atrasou a história, já que o que se vê lá é o pior do capitalismo desregularizado, que combate e faz lóbi contra direitos básicos para os trabalhadores por serem desestimulantes para o investimento, e a surpreendente evidência de que depois de quase 60 anos de regime comunista só agora se pensa em direitos de trabalhadores na China. Se as novas regras forem adotadas, isto significará que foi o capitalismo que levou uma legislação social para a China comunista — contra a sua própria vontade. Mais uma daquela velha senhora irônica, a História.

Admirável

Diziam que o que sustentava o Partido Comunista americano eram as mensalidades dos agentes do FBI infiltrados entre os seus membros. Era fácil identificá-los — só eles pagavam em dia. O fato é que, mesmo no auge da Guerra Fria, o Partido Comunista americano não apenas se manteve vivo, como nunca deixou de ter candidatos à presidência da república, embora quase ninguém na república soubesse disso. Sua participação nas eleições só ganhou alguma notoriedade quando Angela Davis entrou na chapa como candidata a vice-presidente. Foi a única vez que os comunistas se destacaram de outros partidos mais ou menos exóticos que regularmente concorrem à presidência daquele país e ganharam mais do que um traço nas pesquisas. A personalidade de Angela, que tinha seguidores no meio universitário e aparecia na grande imprensa com seu penteado e seu discurso radicais, foi responsável por isso. E portanto, teoricamente, Angela Davis — já que nunca saberemos qual seria o desdobramento político do movimento liderado por Martin Luther King — foi o mais próximo que um negro já chegou da presidência dos Estados Unidos.

A importância do feito de Barack Obama ao se tornar candidato de um dos dois partidos que monopolizam o acesso à presidência americana se mede pela distância entre a candidatura quixotesca de Angela Davis a uma vice-presidência inconcebível e a sua. Obama não é uma versão domesticada de Angela Davis, nem um sucedâneo mais palatável de Martin Luther King, nem um "negro de alma branca", conforme o insulto que passa por elogio no Brasil. A distância entre o seu sucesso político de hoje e os preconceitos e ódios que o impediriam trinta anos atrás é significativa, e é admirável. A mãe branca, o sorriso simpático e a retórica empolgante não explicam tudo, mas alguma coisa mudou no espírito do país nesses trinta anos para que esse negro chegasse lá. Que vem aí um *backlash*, um contra-ataque retrógrado, além do natural embate eleitoral com os republicanos, ninguém duvida. Mas, seja qual for o futuro da candidatura de Obama daqui para frente, o bem já está feito.

O que Obama faria na presidência é um mistério. Li no *New York Times* que as companhias de seguro e previdência privada, as maiores interessadas em que os Estados Unidos continuem sendo o único grande país industrializado sem um sistema universal de saúde pública, deram mais dinheiro para a campanha dele do que para Hillary e McCain. Hummm. Os grandes apostadores costumam saber mais do que a gente.

O modelo

Notícias de gripes na China são duplamente preocupantes: porque as gripes podem ser epidêmicas e porque elas possibilitam uma hipótese temida pela ciência há anos: a de que um dia todos os chineses espirrem ao mesmo tempo e desviem a Terra da sua órbita na direção do Sol e da extinção certa. Na verdade, a China pode mudar a história do mundo de várias outras maneiras. Já está mudando conceitos econômicos e preconceitos políticos, pois não há ortodoxia que resista à idéia de uma população de mais de um bilhão — de consumidores ou de inimigos, dependendo de quem está pensando. Seja como for, com a sua modernização e seu crescimento explosivos, a China é hoje um modelo triunfante. Resta saber, exatamente, de quê.

Guardadas as óbvias desproporções, a China é para os liberais um pouco o que Cuba é para a esquerda: o problema é saber até onde elogiar. Cuba é um exemplo de independência dos Estados Unidos e de prioridades sociais mantidas apesar da penúria e do boicote. Quanto à restrição de direitos políticos, a repressão a dissidentes e a eternização do

Fidel, é melhor mudar de assunto. A nova China é um exemplo das vantagens da abertura econômica e da competição capitalista, mas nenhum liberal pode usar seu governo comunista como exemplo da sua ortodoxia preferida, o Estado mínimo. E na China também se desrespeitam direitos humanos. Mas, neste caso, o pragmatismo empresarial vence qualquer prurido. O que é um pouco de hipocrisia diante das possibilidades de um mercado desse tamanho?

    Na sua busca de um modelo de país grande para ser e para conviver com os Estados Unidos, já que ainda não pode ser o Canadá, a Rússia ou a Austrália, o Brasil tem três escolhas: a Índia, a Indonésia e a China. Este último é o modelo mais entusiasmante, mas é preciso pensar no que se está recomendando. A China atual é produto de uma transformação violenta, o que está aí é o que sobreviveu a um processo cruel como não se conhece outro igual, uma guerra contra a fome e contra o seu próprio passado que atravessou algumas gerações. O exemplo da China é o desta transformação e o seu efeito ou é apenas o de uma americanização tardia, sem antecedentes?

Contemplando o fogo

Sustento que não foi o clima frio que favoreceu o crescimento de civilizações mais avançadas. É que os habitantes de climas frios passaram mais tempo contemplando o fogo. Os povos de climas quentes têm menos necessidade de fogo para aquecê-los, por isso foram privados das divagações que vêm com a contemplação do fogo e são menos filosóficos e mais superficiais. Nos climas frios, de tanto olhar as chamas qualquer pessoa acabaria desenvolvendo, se não escatologias ou sistemas ontológicos completos, pelo menos teses. Foi contemplando o fogo de uma lareira, no último inverno, que desenvolvi a minha. Ou teria sido o conhaque?

Os povos de clima quente têm a experiência direta do sol na cabeça, os de clima frio experimentavam o sol armazenado na madeira, portanto o sol intermediado, reciclado pelo tempo. O fogo armazenado é o sol de segunda mão, quase uma versão literária. Olhar para o sol transformado em fogo domesticado leva a abstrações e ponderações, olhar para o sol original leva à cegueira. Mas tanto o sol vivo no céu quanto o sol ressuscitado no fogo podem destruir o cérebro, um fritando-o e outro levando-o para tão longe que ele se eteriza. Não há notícia de Einsteins em regiões tropicais, mas também não há notícia de cientistas loucos. Abstrações e ponderações em overdose também podem ser fatais. Contemplar muito o fogo também enlouquece.

A combustão da madeira sendo consumida pelo fogo do sol que absorveu a vida toda é uma metáfora para a existência: você também é consumido pelo que lhe dá energia — mais ou menos rapidamente, dependendo de ser graveto ou nó de pinho. E concluí o seguinte, olhando as chamas: se envelhecer é ir ficando cada vez mais grave, só atingiremos nossa verdadeira seriedade depois de mortos, quando nos juntaremos aos fósseis. Também levaremos energia aprisionada para baixo da terra e seremos como o carvão, o petróleo e os restos degradados de tudo que já viveu, integrados na capa explosiva do planeta — o que pode ser mais sério?

Toda matéria orgânica, da jabuticaba ao papa, almeja isso, essa respeitabilidade subterrânea, essa dignidade de mineral depois da frivolidade efêmera da vida. Do barro viemos e ao barro voltaremos, mas agora em outra categoria, depois da nossa temporada ao sol: a de combustível. Entendo quem prefira a cremação (que é quando a nossa identificação com lenha fica mais completa), mas eu quero tudo a que tenho direito depois de morto. Decomposição, gases — enfim, minha iniciação na nobre irmandade dos inflamáveis.

Olhando o fogo também pensei em seu poder hipnótico e em como ele devia inflamar a imaginação de quem o contemplava, no tempo das cavernas, e via nele fantasmas e presságios. O fogo era, de certa forma, a televisão da pré-história — com uma programação muito melhor.

Estamos prontos

Sonhemos. O petróleo acaba e o mundo passa a depender, para toda a sua energia, do combustível vegetal. Biodiesel e álcool. Ninguém tem tanto biocombustível para vender, ou terra para produzi-lo, do que o Brasil. Enquanto o Oriente Médio afunda no seu subsolo vazio e a areia cobre suas refinarias e seus palácios, o Brasil se transforma no principal fornecedor do sangue do mundo industrial. Brasil, a Nova Arábia.

Já temos um começo de produção importante. Já conhecemos a tecnologia. Com os investimentos das sedentas potências industriais, nossa capacidade de transformar vegetal em energia se multiplicará. E mais: ao contrário do combustível fóssil, o biocombustível não acaba. Seremos os árabes do mundo por muito mais tempo. E reproduziremos, aqui, o poder e o fausto do Oriente Médio, com os dólares que nos inundarão. Afinal, se eles construíram uma civilização feita de dólar no deserto, por que não construiremos uma igual aqui, onde tudo cresce tão rápido?

De certa maneira, estamos nos condicionando para isso há muito tempo. Finalmente entendemos o comportamento da nossa elite, que sempre levou vida de xeques do petróleo sem o petróleo. Não são insensíveis e fúteis, são visionários, foram pioneiros. Estavam treinando para o nosso futuro árabe. Construiu-se aqui a sociedade mais desigual do mundo como uma emulação informal da desigualdade institucionalizada do Oriente, onde o contraste entre a massa miserável e o potentado é tradição, não má-formação. Estávamos sendo meio orientais, inconscientemente nos preparando para tomar o lugar deles. Até nossa corrupção, nos seus exageros, tem um pouco dessa premonição de um dia sermos emires do biocombustível, com sua inferição de que no Brasil dinheiro nasce na terra.

Com a China precisando de cada vez mais combustível e os americanos cada vez mais incapazes de largar o vício da gasolina barata, o petróleo não dura até o fim do século. Então será a nossa vez. Temos a matéria-prima para substituir o petróleo, temos a terra, temos a técnica, temos os xeques e temos a atitude. Estamos prontos.

Nosso espaço

Já somos 6 bilhões, não contando o milhão e pouco que nasceu desde o começo desta frase. Se fosse um planeta bem administrado isto não assustaria tanto. Mas é, além de tudo, um lugar mal freqüentado. Temos a fertilidade de coelhos e o caráter de chacais, que, como se sabe, são animais sem qualquer espírito de solidariedade. As megacidades, que um dia foram símbolos da felicidade bem distribuída que a ciência e a técnica nos trariam — um helicóptero em cada garagem e caloria sintética para todos, segundo as projeções futuristas de anos atrás —, se transformaram em representações da injustiça sem remédio, cidadelas de privilégio cercadas de miséria, uma réplica exata do mundo feudal, só que com monóxido de carbono.

Nosso futuro é a aglomeração urbana e as sociedades se dividem entre as que se preparam — conscientemente ou não — para um mundo desigual e apertado e as que confiam que as cidadelas resistirão às hordas sem espaço. Os jornais ficaram mais estreitos para economizar papel, mas também porque diminui a área para expansão dos nossos cotovelos.

Chegaremos ao tablóide radical, duas ou três colunas magras onde tudo terá de ser dito com concisão desesperada. Adeus advérbios de modo e frases longas, adeus frivolidades e divagações superficiais como esta. A tendência de tudo feito pelo homem é para a diminuição — dos telefones e computadores portáteis aos assentos na classe econômica. O próprio ser humano trata de perder volume, não por razões estéticas ou de saúde, mas para poder caber no mundo.

No Japão, onde muita gente convive há anos com pouco lugar, o espaço é sagrado. Surpreende a extensão dos jardins do palácio imperial no centro de Tóquio, uma cidade onde nem milionário costuma ter mais de dois quartos, o que dirá um quintal. É que o espaço é a suprema deferência japonesa. O imperador sacralizado é ele e sua imensa circunstância.

Já nos Estados Unidos, reverencia-se o espaço com o desperdício. Para entender os americanos você precisa entender a sua classificação de camas de acordo com o tamanho: Queen Size, tamanho rainha, King Size, para reis, e, era inevitável, Emperor Size, do tamanho de jardins imperiais. É o espaço como suprema ostentação, pois — a não ser para orgias e piqueniques — nada é mais supérfluo do que espaço sobrando numa cama, exatamente o lugar onde não se vai a lugar algum.

Os americanos ainda não se deram conta de que, quando chegar o dia em que haverá chineses embaixo de todas as camas do mundo, quanto maior a cama, mais chineses.

Velhos e novos bárbaros

!

Todas as opiniões sobre o gênero

humano são suspeitas porque são de gente. É impossível ser completamente objetivo sobre a própria espécie. Mesmo as opiniões mais negativas sobre o ser humano têm esta falha de origem: são de seres humanos. O misantropo odeia os outros porque não correspondem ao seu ideal do que pode ser a Humanidade, o cara que se odeia também se julga por um parâmetro exaltado do que significaria ser um bom membro da sua raça. Portanto, nem a autocrítica humana é confiável. Quando nos elogiamos, então, falta-nos a mínima credibilidade. Não temos o distanciamento indispensável, não temos a isenção necessária, não temos a segunda opinião.

Nova Nova Roma

Paralelos históricos podem ser precários, muitas vezes não passam de coincidências infladas para fazer uma tese. Mas as analogias Estados Unidos/Roma x Europa/Grécia resistem e a velha história dos dois mundos contrários se repetiria agora, com o Atlântico no papel do Mediterrâneo. Assim como o mundo grego e seus valores não acabaram logo com a ascensão romana e as duas civilizações conviveram durante muitos anos, potência americana e impotência européia representariam, hoje, os mesmos contrastes — vulgaridade contra sensibilidade, materialismo contra espiritualidade, o novo e eficiente contra o pitorescamente evanescente e charmosamente obsoleto — da Roma triunfante com a Grécia decadente.

A analogia não é completa porque a Europa se rebelou e se recusa a ser a Grécia nesta reprise. E o fato histórico mais importante do final do século XX acaba sendo uma revisão crítica da história clássica: desta vez o mundo velho não se deixa absorver por Roma, reage contra o seu destino de relicário de idéias amáveis e inúteis e recupera seu esplendor

— e sua potência. Talvez a outra grande novidade do fim do século XX, os remédios que restituem o vigor a homens condenados à obsolescência sexual, seja na verdade a metáfora definitiva do nosso tempo. Nem os ciclos pessoais nem os ciclos das civilizações são mais inevitáveis. Estamos na Era da Segunda Chance.

Há quem diga que a Europa só renasceu porque, ao contrário de ser absorvida, absorveu o império que a substituiu. Os estados unidos europeus seriam uma nova Nova Roma e deveriam sua revitalização à americanização dos seus métodos e costumes. Mas permanece o suficiente dos velhos contrastes entre os dois mundos para que a Europa seja uma alternativa para os Estados Unidos, inclusive como parceira de negócios, e não precisemos nos submeter às prepotências americanas só por um fatalismo geográfico. Ou estaríamos apenas trocando uma prepotência rude por uma de melhor gosto? No fim, o renascimento da Nova Grécia pode ser uma má notícia para o Brasil e os outros periféricos. Como os ciclos históricos não têm mais sentido e as potências se renovam pela sua vontade, nunca chegará a nossa vez. Jamais experimentaremos o prazer de ser prepotentes com os outros.

O laboratório improvável

Hitler disse certa vez: "A Ásia começa na Polônia." A frase mostrava o desprezo alemão pela Polônia, mas principalmente o temor europeu da Ásia. O terror reverencial pela Ásia informou muito da reação européia à revolução na Rússia, uma terra de bárbaros e místicos subitamente promovida a laboratório da História, sem escalas. Marx nunca imaginou que a revolução fosse vingar naquele misterioso monstro oriental com a cara metida na Europa. Tudo que aconteceu nas Rússias depois de 1917 pode ser visto pelos dois lados, o do puramente político, sem qualquer referência geocultural, e o da incongruência. E fica difícil separar o que deve ser debitado — ou creditado — ao comunismo e à alma russa.

O grande terror de Stalin teve mais de um precedente na Rússia tzarista. Comunista não comia criancinha, mas um contemporâneo anônimo de Ivan, o Terrível — citado (ou inventado, não me lembro mais) pela escritora soviética Tatyana Tolstaya num texto que li há tempos — disse que a fome não afetava os russos, porque "comemos uns aos outros e isto nos satisfaz". A idéia do solo sagrado da Mãe Rússia está nas origens do imperialismo soviético tanto quanto as práticas razões de defesa e difusão dos ideais revolucionários. E até que ponto o messianismo passional da tradição russa favoreceu a idéia redentora do marxismo, que nunca pensou que um dia dependeria do fervor religioso para vencer?

Rebatendo uma crítica ao artificialismo da revolução na Rússia, logo na Rússia, Gramsci escreveu que foi justamente a ausência de um capitalismo avançado, com um proletariado urbano organizado, estratificado e portanto contido pela sua superestrutura e pela cautela tática, que levou à vitória nas ruas. E que o primitivismo russo foi, no fim, a decisiva virtude revolucionária. Segundo Gramsci, os comunistas russos foram internacionalistas desde o começo porque a situação nacional era quase irrelevante para as suas teses. Mas a teoria precisou da transcendência mística para prosperar, e da "selvageria" asiática para passar de apenas outro conceito europeu importado a uma prática que durou setenta anos. A geocultura, afinal, predominou.

Reis e reis

Eu estava olhando uma fotografia dos chefes de Estado do continente, numa reunião deles no Rio, e de repente pensei: quando é que nós vamos nos livrar dessa gente? Não, não foi um assomo anarquista, vontade de sair metralhando autoridades, nem um comentário sobre a capacidade e o caráter dos retratados e muito menos uma reação, assim, bornhausiana ao fato de a maioria na foto ser de esquerda, com ou sem aspas. Era simplesmente uma reflexão sobre a necessidade de se terem presidentes.

A persistência do presidencialismo nos países que seguiram o modelo americano mostra como a idéia republicana ainda não pegou por completo. Ainda precisamos de soberanos, alguém que incorpore e dê uma cara ao Estado e pelo menos finja que o comanda. E com todas as limitações institucionais, temporais etc. a seus poderes, os presidentes são reis. Reis com prazo de validade, mas reis. Os ditadores, ou os que ultrapassam o prazo e eliminam as limitações, só estão reivindicando o que falta, além das pompas e dos paramentos, para serem reis mesmo. Tudo é nostalgia.

Se resgataria o ideal republicano desse renitente infantilismo político com o parlamentarismo, que não dispensa simulacros de monarquia, com seus presidentes apenas cerimoniais (ou, como no caso da Inglaterra, com monarquias encarregadas de serem a sua própria paródia), mas dá o poder real a uma assembléia e a um primeiro-ministro teoricamente submisso a ela, nada que lembre um rei. Mas o parlamentarismo não seria a alternativa adulta para o presidencialismo neste continente, seria a alternativa irrealista, que só dá certo para quem já tinha a prática, ou só vingou onde seu antecedente histórico direto foi o absolutismo dos reis. No Brasil, a hora certa do parlamentarismo era logo depois dos Pedros. Só que o exemplo americano foi mais forte.

E parlamentarismo seria para país pronto. Na foto dos presidentes reunidos no Rio havia pelo menos três que não incorporavam Estados estabelecidos ou significavam uma continuidade, como faziam os reis dinásticos, mas representavam o desejo de outros Estados e novos começos. O continente diferente que eles propõem talvez só possa ser conquistado assim, com a presunção de que são ungidos para liderar por disposição divina. Ou seja, nada que lembre um primeiro-ministro.

Quer dizer: talvez só se chegue ao ponto de um dia merecer o parlamentarismo e o que ele representa de maturidade e estabilidade políticas se prolongarmos nossa infância republicana por mais algum tempo.

Pós-11/9

Li que em Nova York estão usando "dez de setembro" como adjetivo, significando antigo, ultrapassado. Como em: "Que penteado mais dez de setembro!" O 11/9 teria mudado o mundo tão radicalmente que tudo o que veio antes — culminando com o *day before*, o último dia das torres em pé, a última segunda-feira normal e a véspera mais véspera da História — virou preâmbulo. Obviamente, nenhuma normalidade foi tão afetada quanto o cotidiano de Nova York, que vive a psicose do que ainda pode acontecer. Os Estados Unidos descobriram um sentimento inédito de vulnerabilidade e reorganizam suas prioridades para acomodá-lo, inclusive sacrificando alguns direitos dos seus cidadãos, sem falar no direito de cidadãos estrangeiros de não serem bombardeados por eles. Protestos contra a over-reação americana são vistos como irrealistas e anacrônicos, decididamente "dez de setembro".

Mas fatos inaugurais como o 11/9 também permitem às nações se repensarem no bom sentido, não como submissão à chantagem terrorista, mas para não perder a oportunidade do novo começo, um pouco como Deus — o primeiro autocrítico — fez depois do Dilúvio. Sinais de revisão da política dos Estados Unidos com relação a Israel, os palestinos e aquele particular foco infeccioso do mundo são exemplos disto, e é certo que nenhuma reunião dos países ricos será como era até o 10/9, pelo menos por algum tempo. Nós também podemos aproveitar o recomeço e nos refazermos, nas medidas físicas do possível, para nos tornarmos melhores. Principalmente vocês da seleção. No caso dos donos do mundo, não se devem esperar exames de consciência mais profundos ou atos de contrição mais espetaculares, mas o instinto de sobrevivência também é um caminho para a virtude. Ou isso ou o horror de 11/9 teve o efeito paradoxalmente contrário de me fazer acreditar mais na humanidade — inclusive nos banqueiros!

A questão é: o que acabou em 11/9 foi prólogo, exatamente, de quê? Seja o que for, será diferente. Inclusive por uma questão de moda, já que ninguém vai querer ser chamado de "dez de setembro" na rua.

Bárbaros

A hipocrisia é uma característica comum dos impérios, mas alguns exageram. Quando a rainha Vitória se declarou chocada com os bárbaros chineses em revolta contra os ingleses, no fim do século XIX, não mencionou que a revolta era uma reação dos chineses à obrigação de importar o ópio que os ingleses plantavam na Índia, tendo destruído sua agronomia no processo.

Os ingleses obrigaram os hindus a abandonarem culturas tradicionais para produzir ópio e foram à guerra para obrigar os chineses a consumi-lo, num momento particularmente bárbaro da sua história. Mas ninguém nunca se declarou muito chocado com o comportamento da rainha Vitória, fora as especulações sobre o seu caso com um cavalariço.

Havia sempre bárbaros convenientes nas fronteiras dos impérios: orientais fanáticos, monstros primitivos, dervixes messiânicos, tiranos sanguinários. Legitimavam a conquista colonial, transformando-a em missão civilizadora, enobreciam a raça conquistadora pelo contraste e — em episódios como o da Guerra do Ópio — disfarçavam a barbaridade maior dos civilizados com a truculência já esperada de raças inferiores. A hipocrisia imperial continua e agora chegou a outro auge na reação à execução desastrada de Saddam Hussein. Um comandante americano no Iraque declarou que se eles fossem encarregados de matar o monstro teriam feito diferente. Claro que teriam.

Quando Bush era governador do Texas, não pensou em suspender nenhuma das mais de 150 execuções realizadas no estado durante seu governo, certamente confiante que todas seriam civilizadas e tecnicamente impecáveis. Mas o que se poderia esperar de bárbaros se não um enforcamento indigno? Como se qualquer enforcamento, ou qualquer modo de execução, pudesse ser digno. A CIA terceirizou a tortura, levando suspeitos para serem interrogados por bárbaros úteis em países com norrau no assunto. Longe da civilização americana, que não faz essas coisas. Presume-se que os agentes da CIA tapem os ouvidos durante as sessões de tortura, para não serem conspurcados pela indignidade alheia.

Tony Blair, a rainha Vitória daquele momento, também se declarou chocado com a execução pouco civilizada de Saddam. Não teve os mesmos escrúpulos ao apoiar o ataque ao Iraque justificado com mentiras que ele sabia serem mentiras, como prova o famoso memorando em que lhe contaram que os americanos estavam adaptando os fatos à decisão, já tomada, de invadir. E já devem ter morrido mais iraquianos e anglo-saxões no Iraque do que chineses e ingleses na Guerra do Ópio.

Atingindo o alvo

Hoje em dia, paranóia é outro nome para realismo. Terrorismo sempre existiu, a novidade — que não começou em 11/9/01, mas universalizou-se espetacularmente com o ataque às torres — é o terrorista suicida. O que mergulha com o avião ou explode com a bomba. O disposto a morrer junto.

O mundo conviveu razoavelmente com o terror convencional, que desafiava autoridades e exércitos mas não atentava contra a sanidade de nações inteiras. A Itália agüentou os seus anos de terror sem sacrificar muito a sua estabilidade institucional, ou o que passa por estabilidade institucional na Itália. Separatistas irlandeses e bascos ainda assustam ingleses e espanhóis, mas não transformaram seus países em reféns do medo. Mas primeiro em Israel, onde fez seu aprendizado sangrento, e agora nos Estados Unidos depois do 11/9, o terror suicida abalou tradições e costumes, transformou medo em política nacional e paranóia em sinônimo de avaliação criteriosa. O terrorismo já tinha ajudado a mudar a história do mundo e afetado, radicalmente, a história de suas vítimas,

mas nunca tinha atingido um alvo deste tamanho: o espírito de uma época, os hábitos e as expectativas de toda uma civilização.

Há anos Israel vive o dilema de como lidar com o terror insurgente disposto a morrer junto sem recorrer ao terror de Estado. Com uma extrema direita dura e intransigente no poder, não está conseguindo. Nos Estados Unidos teme-se por direitos constitucionais que ainda podem cair na luta contra o terror — além dos que já estão cambaleando — e aumentam os choques entre uma histórica rotina judicial de proteção do indivíduo contra desmandos do Estado e as medidas de emergência de um Estado em pânico. Não ajuda o fato que, mesmo antes de 11/9, o arquiconservador homem da Justiça do governo Bush, John Ashcroft, não era exatamente um paladino dos direitos civis.

A pior novidade trazida pelo terrorista suicida é que mudou o conceito de emergência. Como qualquer mártir ou maluco hoje tem os meios para se explodir em qualquer lugar por qualquer causa, entramos no assustador novo mundo da emergência permanente — onde a menor das nossas preocupações é ter que esperar muito numa fila de aeroporto. E perdeu todo sentido a frase "Onde é que isso vai acabar?". Não acaba. Ou só acaba quando não houver mais mártires e malucos com causa, ou causas com mártires e malucos.

Precisa-se de uma revolução

O Kilimanjaro é aquela montanha na África onde, segundo Hemingway disse num conto, um dia encontraram a carcaça congelada de um leopardo perto do cume, e nunca ficaram sabendo o que o leopardo fazia por lá. O leopardo de Hemingway já foi considerado símbolo de muitas coisas: espírito de aventura, a busca solitária do inalcançável, a imprevisibilidade do comportamento humano, a pretensão ou a simples inquietação que move bichos e artistas. Num mundo ameaçado de afogamento pelo degelo causado pelo aquecimento global, o leopardo de Hemingway também pode simbolizar o instinto suicida que nos trouxe a este ponto. O próprio Kilimanjaro é um termômetro assustador do efeito estufa cujas conseqüências e combate se discutiram na Conferência de Bali. O pico do monte já perdeu mais de 80 por cento da sua cobertura de neve nos últimos noventa anos e o cálculo é que a neve desaparecerá por completo nos próximos vinte.

Os Estados Unidos têm 4 por cento da população do planeta e emitem um quarto do dióxido de carbono e outros venenos que ameaçam todo o mundo. Mas não são vilões isolados, nem se deve estranhar muito sua aparente opção pelo suicídio. Escrevendo num *London Review of Books* sobre o fim próximo da civilização do hidrocarbono, Murray Sayle fez um paralelo entre Japão e Europa, onde já havia comunidades nacionais antes da Revolução Industrial, e o Novo Mundo, onde as identidades nacionais se formaram graças ao combustível fóssil, e não seriam países se não fossem pelo trem, o barco a vapor e depois o automóvel. Canadá e Austrália também estão na frente contra o maior controle sobre as emissões e também insistem em caracterizar sua resistência como oposição democrática e realista ao ambientalismo elitista. De certa forma, nesses países o ambientalismo contradiz toda uma cultura empreendedora, que definiu o caráter nacional. O que se está pedindo deles é nada menos do que uma condenação da própria história e uma revolução do pensamento.

    O fato é que um dia um extraterreno descobrirá a carcaça calcinada — ou congelada, já que depois do dilúvio virá outra era glacial — de um homem da idade do hidrocarbono, e a considerará tão inexplicável quanto a do leopardo de Hemingway.

Saudade de Waterloo

É famosa — ou não tão famosa, pois não me lembro do autor — a história da mulher que se queixava de um dia particularmente agitado nas redondezas da sua casa e do que o movimento constante de cavaleiros e carroças fizera à sua roupa estendida para secar, sem saber que estava falando da batalha de Waterloo, que mudaria a história da Europa. Contam que famílias inteiras da sociedade de Washington pegaram suas cestas para piquenique e foram, de carruagem, assistir à primeira batalha da Guerra Civil americana, em Richmond, e não tiveram baixas. A Primeira Grande Guerra, ou a primeira guerra moderna, mutilou uma geração inteira, mas uma geração de homens em uniforme de combate. Mulheres e crianças foram poupadas. Só 5 por cento das mortes na Primeira Guerra foram de civis. Na Segunda Guerra Mundial, a proporção foi de 65 por cento.

Os estragos colaterais da Segunda Guerra se deveram ao crescimento simultâneo de duas técnicas mortais, a do bombardeio aéreo e a da guerra psicológica. Bombardear populações civis foi adotado como uma "legítima" tática militar, para atingir o moral do inimigo. Os alemães começaram, com suas *Blitzen* sobre Londres, que tinha importância simbólica como coração da Inglaterra mas nenhuma importância estratégica. Os foguetes disparados pelos nazistas contra Londres perto do fim da guerra nem podiam ser mirados, caíam quando acabava o combustível. Mas ingleses e americanos também se dedicaram com entusiasmo ao bombardeio indiscriminado, como o que provocou a tempestade de fogo que arrasou a cidade de Dresden, por nenhuma razão defensável salvo a do terror. E os "estragos colaterais" chegaram à sua apoteose tétrica, claro, em Hiroshima e Nagasaki.

Hoje a guerra psicológica é o pretexto legitimador para quem usa o terror por qualquer causa, incluindo o novo e curioso conceito de bombardeio humanitário desenvolvido pela Otan. E cada vez que vemos uma das vítimas do terror, como o último cadáver de uma criança judia ou palestina sacrificada naquela guerra especialmente insensata, pensamos de novo nos tempos em que só os soldados morriam nas guerras, e ainda era possível ser um espectador, mesmo distraído como a dona de casa de Waterloo, da história. Ou ser inocente.

Sessenta anos

A presença, pela primeira vez, de um representante do governo alemão nas comemorações do desembarque na Normandia durante a Segunda Guerra Mundial trouxe algumas dúvidas à humanidade. Ou, chega de megalomania, a mim. Por exemplo: qual é o prazo de vencimento de uma culpa histórica? Sessenta anos, segundo os organizadores da solenidade, pois durante sessenta anos nenhum dirigente alemão pôde chegar perto da celebração do desembarque, que foi o começo da punição final pelo que o seu país tinha aprontado. Em sessenta anos, presumivelmente, uma geração sucede a outra sem herdar sua culpa e prescrevem todos os ressentimentos. Em sessenta anos todo o mundo fica inocente.

Outra dúvida, dois-pontos. De quem era exatamente a culpa pela guerra e seus mortos, inclusive os milhares que ficaram enterrados na Normandia? Há anos se discute a conivência do povo alemão com a máquina de terror de Hitler, seus delírios expansionistas e sua política racial. O que era cumplicidade consciente do povo e o que era desinformação, impotência ou simplesmente patriotismo cego? O que equivale a discutir se a culpa é atribuível ao fascismo, uma deformação que não é endêmica à Alemanha, ou a essa coisa convenientemente indefinível chamada "caráter nacional", o que não deixa de ser uma forma de racismo, pois confunde uma nação inteira com os desmandos de quem seqüestrou momentaneamente a sua história. A questão é atual porque hoje um crítico do nazismo se arriscaria a ser chamado de "antialemão", como um crítico de Sharon e da extrema direita israelense se arrisca a ser chamado de anti-semita e qualquer crítico da política do Bush e seus neoconservadores é tachado de antiamericano. Curiosamente, nenhum dos que acham que Sharon é Israel e Bush é a América chamaria suas críticas a Lula e ao governo do PT de antibrasileirismo.

Correção: em sessenta anos todos ficam culpados — o que, no fundo, os absolve. Na Normandia, ultrapassado o prazo de validade da culpa, vencido e vencedores hoje podem contemplar o cenário da grande batalha e as pungentes fileiras de sepulturas e meditar sobre a estupidez humana, que infelizmente nunca prescreve.

Velhos e novos bárbaros

Napoleão Bonaparte e Adolf Hitler, entre outros, sonharam com a pan-Europa que, com a inclusão de mais dez países, se tornou uma realidade irreversível. Os antecedentes da União Européia são assim, alguns mais respeitáveis do que outros. Durante muito tempo depois da tentativa de Carlos Magno de substituir o império romano pelo seu, uma identidade européia se definia mais pelo que não era do que pelo que era: cristã e não muçulmana, civilizada em vez de bárbara (e portanto com o direito de subjugar e europeizar os bárbaros — isto é, o resto do mundo). Li que um dos primeiros a ter uma idéia de Europa como entidade foi o papa Pio II e o que o animava era uma oposição aos turcos, sempre os turcos, e ao poder do cristianismo dissidente do império bizantino. A idéia da Europa era uma idéia de oposição, e de superioridade racial ou moral. Hitler chegou tão longe no seu projeto de Carlos Magno porque muitos o viam como a salvação da civilização européia ameaçada pelas novas hordas asiáticas, os bolcheviques. No tempo em que, para a mentalidade européia, o Oriente começava no lado de lá do Danúbio, onde havia sempre algum tipo de flagelo de Deus acampado.

A pan-Europa atual tem outra genealogia e sua origem direta está no grande paradoxo da sua vida e do nosso tempo: o fato de que os dois maiores exemplos de barbárie da História, a carnificina mecanizada da Primeira Guerra Mundial e o genocídio científico da Segunda, foram dados pelos não-bárbaros cristãos. O objetivo básico de uma Europa unificada é que isso não se repita. A incorporação, agora, de países da ex-Cortina de Ferro soviética simboliza o fim de outra divisão antiga: a Guerra Fria oficialmente acabou e os americanos ganharam. O bloco econômico formado pela união, mesmo que exista para competir com a potência americana, é um triunfo da economia liberal de mercado cuja receita agora se estende aos países do ex-Pacto de Varsóvia, onde os McDonald's e a Nike tinham chegado antes. Também significa que a fronteira psicológica entre Ocidente e Oriente andou um pouquinho mais pra lá. Só não querem, ainda, os turcos. Certos ressentimentos custam a acabar.

Mas na medida em que a nova Europa tenta fazer o que os gregos não conseguiram, reagir a Roma e recuperar sua relevância histórica, a união pode ser vista, ou pelo menos imaginada, como uma alternativa a bárbaros do outro lado, os hoje liderados por Bush, o Flagelo do Texas. Há leves indícios de um renascimento da esquerda, como na Espanha, na França e em outros países europeus, mas, independentemente da ideologia, a própria idéia de uma pan-Europa agregadora é uma idéia solidarista. Pode voltar a ser uma idéia de resistência da civilização, desta vez no bom sentido.

Supervilão

Se a vida fosse um filme do James Bond os americanos descobririam um imenso complexo subterrâneo sob as montanhas de Tora Bora e no seu centro, nos controles eletrônicos da sua rede de terror, o satânico Osama bin Laden — e o matariam segundos antes de ele apertar o botão que desintegraria a Terra. Ou algum solitário 007 o mataria, com o seu misto de pistola a laser e isqueiro, não importa. Porque a grande contribuição do gênero para o imaginário popular não foi o super-herói sofisticado, com vida sexual e tudo, portanto um anti-super-herói de quadrinhos, mas o supervilão tecnológico, um gênio do mal dedicado a dominar ou chantagear o mundo, apenas porque pode e porque é mau. A angústia que o mundo vivia então era a da aniquilação nuclear mútua, mas em nenhum filme de Bond que eu me lembre — ao contrário dos livros — a ameaça vinha da Rússia. Como não era movido por qualquer ideologia e muitas vezes também aterrorizava os comunistas, o supervilão oferecia uma resolução simples para os medos da época: eliminando-o e o seu centro de tecnomaldades, acabava-se com a ameaça sem maiores desdobramentos ou conseqüências, pelo menos até o próximo filme e o próximo monstro apolítico.

The queen

Confesso que gosto da rainha Elizabeth, que, se entendi bem, o que eu duvido, colocou um blog, ou coisa parecida, seu na internet. Ela parecia exercer seu reinado com placidez e um toque de tédio, de quem gostaria mesmo de estar com os seus cavalos, embora às vezes seja difícil saber se alguém está chateado ou apenas sendo inglês em público. Mas, agora, sabe-se que o enfado da rainha escondia um desejo secreto de modernização e relevância. O blog da rainha seria uma resposta às repetidas sugestões para que se aposente. Ela se renova para ficar. Ou talvez só esteja preocupada em poupar a nação do Charles, ou o Charles da nação.

Nas fotografias de Elizabeth quando moça, nota-se — se não for só uma tara minha — uma certa sensualidade no rosto, algo nos olhos que ela teve que domar para não fugir com um cavalariço, ficar e cumprir suas obrigações. Sobrou disso uma resignação irônica que se vê nos cantos da sua boca até hoje. O inglês Alan Bennett escreveu uma peça sobre Anthony Blunt, um aristocrático historiador de arte que era consultor do palácio e também, soube-se muitos anos depois, espião da União Soviética, em que a rainha aparece, de surpresa, numa cena. Elizabeth e Blunt têm uma conversa sobre a autenticidade na arte que também é uma conversa sobre a duplicidade nas pessoas e a crescente vulgarização da monarquia e suas riquezas, e em que ela diz: "Um monarca já foi definido como alguém que não precisa olhar antes de se sentar. Não mais. É preciso olhar, hoje em dia, pois há uma boa possibilidade de a sua cadeira não estar ali, mas em exibição em outro lugar." A frase é de Bennett, mas é possível imaginá-la dita pela rainha, com o meio sorriso desencantado de quem um dia sonhou ser outra coisa, mas não teve escolha.

O dia seguinte em Nova York

As autoridades designaram a Rua 14 como a fronteira entre a vida normal da cidade e a área do crime, um dia depois dos atentados de 11 de setembro. Os ônibus só iam até a Rua 14, o único trânsito permitido abaixo da Rua 14 era o de veículos oficiais, carros de polícia, ambulâncias, escavadeiras e caminhões para a retirada dos escombros, e os caminhões especiais para transportar cadáveres. Quem conseguisse estabelecer uma Rua 14 na cabeça, um limite para o seu pensamento como existe um limite para o seu trânsito, poderia viver essa situação sem maiores angústias. A "vida normal" aos poucos se reorganizava acima da Rua 14.

O dia estava bonito, nada, afinal, mudara tanto em Nova York e em nossas vidas. Era só não deixar o pensamento cruzar a Rua 14.

Normalmente, esquecer o que há abaixo da Rua 14 seria esquecer o melhor e o mais importante de Nova York. Pois abaixo da Rua 14 ficam o Greenwich Village, o SoHo, TriBeCa, Chinatown e, lá na ponta, o distrito financeiro, onde se erguiam as duas torres que simbolizavam o poder e a imponência da cidade. Esquecer o que havia abaixo da Rua 14, os mortos já encontrados e os milhares que ainda seriam desenterrados era quase uma condição para o raciocínio.

    A Rua 14 imaginária foi uma fronteira da sanidade. Não pensar muito no que aconteceu também era uma maneira de preservar o mínimo sentimento de segurança possível neste tempo doido, pois lembrar as imagens dos ataques suicidas e sua tétrica conseqüência era lembrar que este mínimo não existe mais. Nós, acima da Rua 14, nos recusávamos a aceitar que poderiam alterar nossa idéia do mundo com a mesma facilidade com que alteraram, em minutos, a silhueta de uma cidade.

Uma longa história

Cuba é uma obsessão para a direita e uma provação para a esquerda brasileira. Um lado supervaloriza o que é, no fim, um anacronismo cada vez menos relevante, e o outro não sabe como justificar o inaceitável. A atitude dos que simpatizam com Cuba se divide em duas maneiras de construir a mesma frase: ou "Cuba é um exemplo de independência e prioridades certas nas Américas, mas ninguém pode negar que é uma ditadura repressiva" ou "está certo, é uma ditadura repressiva, mas ninguém pode negar que é um exemplo de etc."

Para os que não conseguem racionalizar e desculpar as contradições cubanas, o embaraço com notícias como a da prisão de dissidentes e de fuzilamentos se insere na velha questão do desencontro entre o ideal e seu desvirtuamento ou, como colocou o Saramago, até onde o ideal pode tolerar o desvirtuamento.

É uma longa história, essa do desencanto da idéia libertária e igualitária com suas más conseqüências. Dá para começar a genealogia da desilusão com o Terror que se seguiu à Revolução Francesa e escandalizou muitos dos seus teóricos e defensores, mas foi nas decepções de intelectuais com o comunismo a partir da Revolução Russa que a história se tornou reincidente.

Cada geração teve o seu momento de desencanto. A ruptura dos trotskistas com o poder soviético nos anos 30, o pacto Hitler–Stalin no começo da Segunda Guerra Mundial, em que muitos custaram a acreditar, a invasão da Hungria em 1956, as revelações de Kruschev sobre os expurgos e os crimes stalinistas...

Muitos intelectuais brasileiros se obrigaram a desenvolver variações em torno do tema do fim redimindo os meios, para poder conciliar sua fé na promessa redentora do comunismo com o totalitarismo soviético, ou preservar o ideal do seu desvirtuamento. Mas, para uns mais cedo do que para outros, o momento também chegou.

A lição para quem quer continuar a crer sem se desiludir talvez seja a de simplificar a ilusão: engajar-se nos princípios de liberdade, igualdade e fraternidade, os básicos franceses, mas desassociar-se do terror e manter sempre à mão, como um Isordil, o ceticismo. Uma lição que também vale para engajamentos menores, como o dos que apoiaram o Lula sem saber que estavam apoiando o aumento do superávit primário.

A tirania do qualquer um

Hoje qualquer um com um computador e um programa adequado pode editar seus próprios livros. Ou seu próprio jornal ou sua própria revista. Qualquer um pode fazer o seu próprio CD em casa. Não depende mais de nenhuma estrutura alheia — grandes impressoras, grandes estúdios ou grandes espaços — para produzir o que quiser. Mas essa nova liberdade tem a sua contrapartida tétrica: assim como qualquer um pode dispensar a indústria literária para publicar seu romancezinho ou a indústria musical para gravar a banda das crianças, qualquer um pode ter nas mãos a capacidade de destruição de um exército sem precisar ter uma nação.

A nação e o seu exército são as grandes estruturas tornadas desnecessárias pela sofisticação dos recursos para quem quer se expressar, no caso não com arte, mas com estouros. Coisas como o lançador de mísseis desmontável e portátil, a relativa facilidade em fabricar e transportar projéteis nucleares ou com cargas químicas mortais e, claro, um computador com um programa adequado aumentaram o poder do qualquer um e o seu raio de estragos possíveis. Assim, além do indivíduo que é seu próprio editor e sua própria gravadora e — com todos os programas de computador disponíveis — seu próprio arquiteto, contador ou conselheiro astral, temos o indivíduo que é a sua própria força armada pronta para a guerra, ou pelo menos para começar uma.

Nunca o qualquer um teve tanto poder. Ele já atuou no passado, e influiu muito na História, mas não tinha os meios que tem agora. Era o anarquista com sua bomba de pavio, o assassino no meio da multidão com sua pistola, o anônimo cujo martírio ou a liderança espontânea começava uma revolta ou um massacre. Mas a possibilidade de espalhar o grande terror era exclusividade das nações e dos exércitos, das grandes estruturas. Não era para qualquer um. A democratização da ciência e a banalização das técnicas de matar trouxeram o qualquer um para a sua eminência atual. Hoje o grande terror é ele. Vivemos sob a tirania da sua imprevisibilidade e da sua independência das grandes estruturas: cada um é uma nação de um só, com uma indústria de morte própria. Ele pode ser o passante com um colete de explosivos sob a roupa. Pode ser a moça ao nosso lado no metrô com o antrax na mochila. Pois o maior terror do qualquer um é que ele pode ser qualquer um.

Abstrações

"Deus não joga dados com o Universo", disse Einstein, para nos assegurar que existe um plano por trás de, literalmente, tudo, e que o comportamento da matéria é lógico e previsível. A física quântica depois revelou que a matéria é mais maluca do que Einstein pensava e que o acaso rege o Universo mais do que gostaríamos de imaginar. Mas fiquemos com a palavra do velho. Deus não é um jogador, o Universo não está aí para Ele jogar contra a sorte e contra Ele mesmo. Já os semideuses que controlam o capital especulativo do planeta Terra jogam com economias inteiras e podem destruir países com um lance dos seus dados, ou uma ordem dos seus computadores, em segundos.

Às vezes eles têm uma cara, e até opiniões, como o Soros, mas quase sempre são operadores anônimos, todos com 28 anos, e um poder sobre as nossas vidas que o Deus de Einstein invejaria. Deus, afinal, é sempre o ponto supremo de uma cosmogonia organizada, não importa qual seja a sua religião. Todas as igrejas — a não ser a do Triângulo Místico, fundada anteontem, provavelmente em Brasília — têm metafísicas antigas e hierarquizadas. Todos os deuses podem tudo, mas dentro das expectativas e das tradições das suas respectivas fés. Até a onipotência tem limites.

A metafísica dos operadores, dos deuses de 28 anos, é inédita. Não tem passado nem convenções. É a destilação final de uma abstração, a do capital desassociado de qualquer coisa palpável, até do próprio dinheiro. Como o dinheiro já era a representação da representação da representação de um valor aleatório, o capital transformado em impulso eletrônico é uma abstração nos limites do nada — e é ela que rege as nossas economias e, portanto, as nossas vidas. E quem pensava ter liberado o mundo de um ideal inútil, o de sociedades regidas por abstrações como igualdade e solidariedade, se vê prisioneiro do invisível, de um sopro que ninguém controla, da maior abstração de todas.

Mal-entendidos

Dividimos a História em eras, com começo e fim bem definidos, e mesmo que a ordem seja imposta depois dos fatos — a gente vive para a frente mas compreende para trás, ninguém na época disse "Oba, começou a Renascença!" — é bom acreditar que os fatos têm coerência e sentido, e nos dão lições. Só que podemos apreender a lição errada.

    Falamos nos loucos anos 20, quando várias liberdades novas começavam a ser experimentadas, e esquecemos que foi a era que gerou o fascismo. O espírito da "Era do Jazz" de Scott Fitzgerald foi o espírito totalitário, e prevaleceram não os passos do "*charleston*" mas os passos de ganso. A leitura convencional dos anos 40 é que foram os anos em que os Estados Unidos salvaram a Europa dela mesma. Na verdade, a Segunda Guerra salvou os Estados Unidos. Completou o trabalho do New Deal de Roosevelt e acabou com a crise econômica que sobrara dos anos 30, fortalecendo a sua indústria ao mesmo tempo que os poupava da destruição que liquidou com a Europa, e inaugurou o keynesianismo militar que sustenta a sua economia até hoje. O fim da Segunda Guerra foi o começo da Era Americana. Os americanos salvaram o mundo — e ficaram com ele. Os plácidos e sem graça anos 50 não foram tão aborrecidos assim. Foram os anos do "existencialismo", de revoluções na arte e na literatura, do nascimento do rockenrol... Já nos fabulosos anos 60, enquanto as drogas, o sexo e a comunhão dos jovens pela paz e contra tudo o que era velho tomava conta das praças e das ruas, o conservadorismo careta se entrincheirava no poder — Nixon nos Estados Unidos, os generais aqui — e Margaret Thatcher começava a sua própria revolução. O que foi que aconteceu mesmo nos anos 60?

Nos anos 70 e 80 também houve um desencontro entre a percepção e a realidade, ou continuou o mal-entendido das décadas passadas. E quando fizerem a leitura do fim dos anos 90 e deste começo de milênio, qual será a conclusão errada? A que o mundo está se tornando mesmo uma aldeia global ou está se dividindo cada vez mais entre ricos e pobres, entre inteligência excludente, burrice generalizada e estupidez institucionalizada? Com as maravilhas conseguidas pela ciência e a técnica estamos vivendo o auge do ideal iluminista ou estamos em plena regressão obscurantista, com o fundamentalismo religioso e o espírito tribal em guerra aberta contra a razão? E no Brasil? O que é que está nos acontecendo, exatamente? Daqui a trinta anos saberemos. Ou talvez não.

Peixe na cama

O "politicamente correto" tem seus exageros, como chamar baixinho de "verticalmente prejudicado", mas no fundo vem de uma louvável preocupação em não ofender os diferentes. É muito mais gentil chamar estrabismo de "idiossincrasia óptica" do que de vesguice. O linguajar brasileiro está cheio de expressões racistas e preconceituosas que precisam de uma correção, e até as várias denominações para bêbado (pinguço, bebum, pé-de-cana) poderiam ser substituídas por algo como "contumaz etílico", para lhe poupar os sentimentos.

  O tratamento verbal dado aos negros é o melhor exemplo da condescendência que passa por tolerância racial no Brasil. Termos como "crioulo", "negão" etc. são até considerados carinhosos, do tipo de carinho que se dá a inferiores, e felizmente cada vez menos ouvidos. "Negro" também não é mais correto. Foi substituído por "afro-descendente", por influência dos Afro-Americans, num caso de colonialismo cultural positivo (em contraste com a substituição de "entrega" por *delivery*). Está certo. Enquanto o racismo que não quer dizer seu nome continua no

Brasil, uma integração real pode começar pela linguagem. E poderia vir mais rápido se as outras etnias adotassem autodenominações parecidas. Eu só teria dificuldade em definir minha ascendência com alguma concisão. Luso-ítalo-germano (e provavelmente afro)-descendente? Como boa parte dos brasileiros, não sou de uma linha, sou de um emaranhado.

Quando eu era garoto nós tínhamos uma empregada negra que usava um nome apropriado para nós, de carne branca: peixe. Lembro da Araci me tirando da cama para ir à escola com a frase "Levanta, peixe!". E completando: "A coisa que eu tenho mais nojo é ver peixe na cama." Se fosse hoje eu poderia protestar: "Peixe, não. Aquadescendente." A Araci provavelmente viraria a cama.

Da irresponsabilidade

Ser neoliberal é jamais ter que pedir perdão. Para eles, a Argentina não quebrou porque foi obediente ao modelo neoclássico, quebrou porque não foi obediente o bastante. Não deixa de haver lógica na desconversa: se os argentinos tivessem, como dizem os papagaios de americanismos da moda, "feito o dever de casa" exatamente como mandavam seus mestres talvez não sobrasse um de pé — bom, talvez os banqueiros — e todos os problemas da Argentina desapareceriam, junto com a Argentina.

O que atrapalha o modelo neoliberal é a falta de altruísmo das pessoas, essa absurda resistência à idéia de que devem se sacrificar, e sacrificar seus filhos, em silêncio, até que uma teoria econômica se justifique. A resistência aumenta quando a teoria dá sinal de ser imune aos seus próprios fracassos, ou quando se revela que seus bons argumentos e boas intenções disfarçam um projeto de hegemonia única e eternização de dependência que jamais pagará o sacrifício. Todos os problemas argentinos não se devem à submissão total ou parcial ao atual neocolonialismo financeiro, nem à sua vocação histórica de ser colônia não importa de que metrópole (alguém já disse que uma das tragédias da Argentina é ser colônia de Buenos Aires), se devem também a maus hábitos econômicos e políticos de uma elite que chega a ser pior do que a nossa, se é possível imaginar tal coisa. Dizer, porém, que a culpa pelo abismo não é do modelo imposto, mas apenas da teimosia dos argentinos em serem argentinos, é acrescentar cinismo à desconversa.

O populismo pode ser irresponsável, mas como ganhou a simplista conotação de única alternativa ao liberalismo a dedução é que este, em contraste, seria responsável. Alternativas ao falso bom senso liberal são sempre irrealistas, superficiais, demagogas, sentimentais. "Responsável" seria um modelo que conseguiu arrastar um dos países mais ricos do mundo para o caos e em 12 anos de poder, no Brasil, teve um efeito mínimo sobre os índices de miséria e agravou a emergência social. Vivemos mesmo num inferno semântico.

Dar certo

Tem dias em que a única coisa boa no jornal é que a solução das palavras cruzadas sairá no dia seguinte, mas felizmente não é sempre assim. No outro dia li uma notícia que me deixou animado. Parece que refizeram os cálculos e descobriram que não existem 2 milhões de asteróides soltos no espaço que podem chocar-se com a Terra. Não passam de 700 mil, e desses só uns 70 mil — 10 por cento, se tanto — com reais possibilidades de acabar com toda a vida no nosso planeta. Alie-se a isto a notícia de que o pior da crise econômica já passou, as bolsas estão em alta, o BNDES agora vai tratar empresas brasileiras como se fossem estrangeiras, sem apertar o nariz, e o topless e o acesso à internet foram liberados, e a conclusão é que, a não ser pela maioria da população — que não sabe o que é essa tal de economia e não reconheceria um asteróide mesmo que ele caísse sobre suas cabeças —, ninguém no Brasil pode deixar de ser otimista. Mas é claro que um novo cálculo sobre os asteróides pode mudar tudo. Oitocentos mil e eu fico pessimista de novo.

Cada vez me convenço mais que a nossa crise real é de semântica. Antes de discutir se o Brasil está dando certo temos que combinar o que é "dar certo". Definir quesitos, escolher índices, acertar critérios. "Certo" se mede em número de celulares ou em número de vagas no SUS? Qual é o peso relativo da volta de doenças endêmicas, causadas pela desatenção à prevenção básica, e do lucro espetacular dos bancos, do desemprego e da entrada recorde de capitais, dos salários achatados e da inflação baixa, na avaliação do que se passa? Com a abertura da economia o Brasil está se modernizando ou se entregando? Criminalidade em alta é bom sinal (dinheiro em circulação, iniciativa de cinema dos criminosos, coisa de Primeiro Mundo) ou mau sinal (falta de alternativas, embrutecimento geral das relações sociais)? Os condomínios de luxo cercados de grades que se multiplicam são provas de que o Brasil deu certo ou são santuários sitiados num Brasil que dá cada vez mais errado?

Para se chegar a qualquer acordo, a primeira condição é estar falando a mesma língua.

Filhos do XIX

Foi no século XIX que a evacuação passou a ser uma atividade privada. Até então, fazer cocô podia ser um ato social, e até reis se reuniam com seus ministros sentados em "tronos" eufemísticos. Há quem diga que se deve à transformação da evacuação num hábito solitário, propício à leitura e à reflexão filosófica, o nascimento do pensamento moderno na obra de gente como Hegel, Marx, Nietzsche etc.

Paralelos históricos nunca são exatos, e por isso sempre são suspeitos, mas no século XIX está o molde do que nos acontece agora, com as revoluções anárquicas da era da restauração pós-Bonaparte, nascidas da frustração com a promessa libertária esgotada da Revolução Francesa, no lugar do nosso atual inconformismo sem centro, nascido da frustração com experiências socialistas fracassadas. Nos dois casos, a revolta sem método, muitas vezes apolítica e suicida, substituiu a revolução racionalizada.

O espírito da Restauração depois do terremoto bonapartista também determinou uma mudança no pensamento econômico, e Adam

Smith, por exemplo, cuja obra antes da revolução podia ser confundida com pregação reformista (ele era invocado até por Tom Paine, o Che Guevara da Revolução Americana) e incluía uma *Teoria do sentimento moral*, passou a ser o profeta da economia como uma ciência moralmente neutra — "aética" é o termo preferido — e um herói da reação, como é até hoje.

O que só significa que ainda somos todos filhos do século XIX — e da pior parte. Algo para pensar no banheiro.

Empate

Nada pior do que um prepotente com razão. A "razão" dos Estados Unidos perdurará enquanto estiverem vivas as imagens terríveis daquelas torres queimando, mas vai sendo solapada a cada nova notícia de civis mortos por suas bombas burras, ou bombas inteligentes desvairadas, no Afeganistão. A licença para matar deve ter um limite. Só se espera que o limite não seja o número de inocentes mortos no Afeganistão igualar o número de inocentes mortos em Nova York e Washington, para declararem um empate técnico. Com o tempo, a moral das bombas *cluster*, de fragmentação, vai ficando indistinguível da moral dos aviões que derrubaram as torres: nos dois casos os estragos colaterais não são circunstanciais ao objetivo, os estragos colaterais são o objetivo.

Ninguém é contra a ação antiterror, como ninguém era contra a guerra ao narcotráfico quando os americanos invadiram o Panamá para pegar o general Noriega. Foi a mais custosa — em dinheiro e vidas humanas — operação policial da História. O Noriega está preso (nem sei, está preso?), mas o tráfico de drogas, pelo que se sabe, só aumentou de lá para cá. A comparação deve manter todas as apropriadas proporções, que são gigantescas, mas, arrasando um país para "pegar" um homem ou uma organização que talvez nem estejam mais lá, os americanos repetem o Panamá, numa afronta — esqueça a moral e os mortos — a qualquer noção mínima de custo–benefício. Bush declarou que o objetivo não é apenas prender ou eliminar Bin Laden, "The Evil One", e que a guerra será contínua, e longa. O que traz de volta a questão da licença que sua indignação legítima dá aos americanos. Que seu limite não seja apenas a capacidade do fabricante de produzir novas bombas de fragmentação. E que a prepotência tenha pelo menos mais efeito sobre o flagelo do terrorismo do que a prisão espetacular de Noriega teve sobre o flagelo das drogas.

Mas, enfim, estou aqui, longe das bombas e dos venenos, só dando palpite sobre o que leio e ouço falar. Não sei da metade do que está acontecendo, nem no chão do Afeganistão nem nos tapetes de Washington. Para dizer a verdade, o único fato da atualidade que posso aferir diretamente, porque vejo pela janela, é que um casal de sabiás caminha no quintal da minha casa. Aliás, não sei se é um casal. Também é palpite! Eles podem ser apenas bons amigos, desfrutando a primavera.

Neo-stalinismo

O crítico José Onofre disse uma vez que a frase "não se faz uma omelete sem quebrar ovos" é muito repetida por gente que não gosta de omelete, gosta do barulhinho dos ovos sendo quebrados. Extrema esquerda e extrema direita se parecem não porque amam seus ideais, mas porque amam os extremos, têm o gosto comum pelo crec-crec. Mas até você e eu, que somos pessoas centradas e sensíveis, incapazes de matar uma mosca com um jornal enrolado por mais que tentemos, vivemos no meio de um holocausto de ovos, distraídos.

A metáfora da omelete é "o fim justifica os meios" em linguagem de cozinha. O fim justificaria todos os meios extremos de catequização e purificação, já que o fim é uma humanidade melhor — só variando de extremo para extremo o conceito de "melhor".

Todos os fins são nobres para quem os justifica, seja uma sociedade sem descrentes, sem classes ou sem raças impuras. O próprio sacrifício de ovos pelo sacrifício de ovos tem uma genealogia respeitável, a idéia de regeneração (dos outros) pelo sofrimento e pelo sangue acompanha a humanidade desde as primeiras cavernas. Ou seja, até os sádicos têm bons argumentos. Mas o fim das ideologias teria decretado o fim do horror terapêutico, do mito da salvação pela purgação que o século passado estatizou e transformou no seu mito mais destrutivo.

 O fracasso do comunismo na prática acabou com qualquer desculpa, racional ou irracional, para o stalinismo. O tempo não redimiu o horror, o fim foi só a última condenação dos meios. Mas em países como o Brasil — escolhido não apenas por ser o exemplo mais à mão, mas por ser um campeão internacional da injustiça — a idéia do sacrifício de algumas gerações por um futuro redentor permanece. Vivemos num stalinismo brando que nem se reconhece, fruto não de uma doutrina, mas de hábitos antigos. É neo-stalinista toda a retórica da protelação com que há anos nos pedem para esperar o bolo crescer, as reformas começarem a dar resultado, o martírio de uma maioria privada de civilização finalmente acabar — enfim, a omelete ficar pronta. Nenhum dos nossos neo-stalinistas inconscientes se enquadra, que se saiba, na categoria de monstros morais do José Onofre. Suas razões — não há mágica para acabar com a miséria instantaneamente, distribuição de renda é um processo longo etc. — seriam perfeitamente razoáveis se fossem o preâmbulo de algo novo. Mas há anos são o preâmbulo da mesma coisa, repetitivas como qualquer litania.

Esquerda e direita

O DNA é de esquerda ou de direita? Ele fornece argumentos para todos. Prova que todos nascem com o mesmo sistema de códigos genéticos, e portanto são iguais — ponto para a esquerda —, mas que cada indivíduo tem uma senha diferente, ponto para a direita, se bem que não necessariamente para os racistas. Na velha questão biologia x cultura, o DNA dá razão a quem diz que características adquiridas não são hereditárias, nenhuma experiência cultural afeta os genes transmitidos e a humanidade não ficará mais virtuosa — muito menos socialista — com o tempo. Mas a própria descoberta do DNA e todas as projeções do que se tornou possível com a manipulação do material genético mostram como o ser humano pode, sim, interferir na sua própria evolução, e como existe nele uma determinação inata para o auto-aperfeiçoamento. Parafraseando Marx: os cientistas sempre se preocuparam em compreender o ser humano, agora devem tratar de mudá-lo. Biologia não é, afinal, destino. Ao mesmo tempo a eugenia é uma ciência com má reputação. Seu apogeu anterior foi nos experimentos nazistas durante a guerra, e o significado de "aperfeiçoamento" é uma questão aberta. Uma pessoa "melhora" tornando-se mais bem preparada, pela aparência, a capacidade física e o espírito empreendedor, para as competições da vida ou mais tolerante com a variedade humana?

A indefinição ideológica dos nossos genes é apenas mais um numa longa lista de paradoxos que nos dividem. É "de esquerda" ser a favor do aborto e contra a pena de morte, enquanto direitistas defendem o direito do feto à vida, porque é sagrada, e ao mesmo tempo o direito do Estado de tirá-la, embora não gostem que o Estado interfira em outras áreas. A direita valoriza o indivíduo acima da sociedade, que seria uma abstração, mas aceita a desigualdade social, ou o sacrifício de muitos indivíduos pelo sucesso de poucos, como natural. A esquerda muitas vezes atribui a um estado impessoal ou a um líder superpersonalizado a incongruente realização de um humanismo igualitário. Et cetera, et cetera. E, aparentemente, o DNA não vai nos dizer se estamos condenados a ser contraditórios de uma maneira ou de outra, para sempre. Era só o que nos faltava, o DNA ser do centrão.

Feliz é a mosca, que tem mais ou menos a nossa estrutura genética, mas absolutamente nenhum interesse nas suas implicações.

O bom terror

Saudade da Guerra Fria, né? A gente sabia que podia morrer a qualquer momento, mas pelo menos sabia por quê. Se acontecesse o pior, mísseis do Mundo Livre e do Império do Mal se cruzariam no ar e em dois minutos os Estados Unidos e a União Soviética se aniquilariam mutuamente. Dependendo dos ventos, o nosso fim por contaminação nuclear demoraria um pouco mais. Tempo suficiente para meditar sobre a longa paz garantida pelo equilíbrio do terror entre as duas potências, e concluir, agradecidos: "Foi bom enquanto durou..." Acima de tudo, morreríamos sem ambigüidade, certos de quem eram os inimigos e quais eram as suas razões. Teríamos, para acompanhar nossa decomposição final, o consolo da clareza. Mas o pior não aconteceu, e sobrevivemos. Contando do fim da Segunda Guerra Mundial até a queda do Muro de Berlim, foram mais de 40 anos de sensatez tremebunda — ou de paranóia justificada, o que deu no mesmo — nos dois lados.

Acabaram a União Soviética e a Guerra Fria e todos suspiramos, precocemente aliviados. Mas em vez de espíritos desarmados proliferaram novos fantasmas nucleares e perdemos até a primeira condição para um tranqüilizador equilíbrio de terror, que é saber de que lado virão os mísseis. A crise atual no mundo é uma crise de nitidez, é um cipoal de causas e motivos à procura de uma clareira definidora. Os que insistem em reduzir tudo a um choque de civilizações querem, na verdade, reduzir tudo a outra Guerra Fria, recuperar a simplicidade de um confronto entre potências com a simplificação adicional de que desta vez só um lado é uma potência.

É tudo pelo controle do petróleo? É um mundo moderno e pluralista se defendendo de um mundo retrógrado e fanático, e neste caso onde se enquadram o fundamentalismo cristão e o dogmatismo neoconservador que guiam a política externa americana, sem falar no primitivismo absolutista de "bons" muçulmanos como os da Arábia Saudita? Como é possível esperar racionalidade quando o obscurantismo religioso substitui a ideologia? E como é possível definir uma posição simples entre o direito elementar de Israel à existência e a legítima causa palestina? Estamos condenados à ambigüidade como antes estávamos condenados a ser baixas colaterais da Guerra Fria quando esquentasse. Não há nenhuma clareza no futuro desta crise.

E como no caso do bom terror que não aconteceu, a distância não nos salva. Se o Oriente Médio explodir os efeitos chegarão aqui, e não teremos nem o conforto de saber por que nos envenenaram. E não adiantará protestar "Eu sou ambíguo! Eu sou ambíguo!" para ser poupado do fim do mundo.

Ah, o século XIX

As utopias morreram, as ideologias agonizam e eu também não ando me sentindo muito bem. "Esquerda" e "direita" são termos obsoletos. Vêm da divisão física entre os progressistas e os conservadores nas assembléias legislativas francesas depois da Revolução. Quer dizer, têm mais de duzentos anos. Não significam mais nada. Ou significam?

Mesmo com outro nome, esquerdistas e direitistas ainda pensariam de modos diferentes, embora não tanto como no século XVIII. Se se chamassem Centro A e Centro B, continuariam a pensar e a ser diferentes, e a entender e querer coisas opostas.

Mas há um sentimento que une, sim, direita e esquerda. Uma nostalgia comum que nenhum lado confessa, e da qual talvez nem se dê conta. Mas existe. É a saudade do século XIX.

Ah, o século XIX. A esquerda poderia evocar o texto do Paulo Mendes Campos que fala das primeiras horas do Gênese, com "o mundo ainda úmido da Criação", para descrever com o mesmo encanto aquele outro começo. Quando a História, por assim dizer, entrou na história e tudo recebia seus nomes verdadeiros. Uma segunda Criação. Hegel ainda quente, Marx pondo seus ovos explosivos, o passado e o futuro sendo redefinidos com rigor científico e a modernidade tecnológica e a modernidade social (ou, simplificando, a máquina a vapor e a nova consciência proletária) prestes a se fundir para transformar o mundo. "Bliss it was in that dawn to be alive", êxtase era estar vivo naquela aurora, escreveu o poeta Wordsworth sobre a Revolução Francesa. A esquerda poderia dizer o mesmo do século XIX. Naquela aurora não havia dúvida sobre a inevitabilidade histórica do socialismo.

Mas êxtase também espera a direita numa volta idílica ao século XIX. Foi o século de reação à revolução, da restauração conservadora na Europa depois do terremoto republicano e do nascente capitalismo industrial sem remorso. Os que hoje propõem a "flexibilização" dos direitos dos trabalhadores conquistados em anos de luta (como os que os franceses hoje defendem nas ruas de Paris) babariam com o que veriam no velho século: homens, mulheres e crianças trabalhando 15 horas por dia, sem qualquer amparo, e sem qualquer encargo legal ou moral, fora os magros salários, para seus empregadores. A perfeição. Antes que a pregação socialista a estragasse.

Século XIX, terra de sonhos. Para a esquerda e a direita, juntas.

O lado bom da situação

A longo prazo estaremos todos mortos, e se você consegue manter a cabeça no lugar enquanto todos à sua volta estão perdendo a sua, você provavelmente está mal informado. Aceitas estas ponderações, no entanto, dá para ser otimista a, vá lá, médio prazo, e ver o lado bom da situação, mesmo que seja preciso procurar um pouco. Por exemplo: estamos vivendo um período excepcional na História em que, a qualquer momento, se verá alguém declarar a respeito do pó branco que carrega: "É só cocaína, gente!" e ser cumprimentado por agentes aliviados da Alfândega. Ou seja, estamos chegando a um melhor entendimento da importância relativa das coisas. Aprende-se a conviver com pequenas aflições, como a tendinite, a *techno-music* e o Congresso Nacional, pensando: "No Afeganistão está pior." E depois que Paquistão, Índia, Israel, Iraque, Estados Unidos e Bin Laden se aniquilarem mutuamente com bombas nucleares e químicas, e a nuvem mortal começar a circular o planeta, você pode se consolar com a idéia de que pelo menos nossa seleção não dará vexame na próxima copa.

Que espécies

Richard Dawkins é um dos principais defensores e explicadores da teoria da evolução de Darwin, que está sendo atacada por fundamentalistas religiosos e pela onda nova do criacionismo "científico", ou a idéia de que existe um designer inteligente — não necessariamente o Deus das Escrituras — por trás de tudo. Dawkins também foi o primeiro, eu acho, a reconhecer o paradoxo que aflige muitos darwinistas convictos. Ele acredita sem qualquer hesitação na teoria de Darwin sobre a sobrevivência dos mais fortes e capazes e na importância da adaptação a mutações fortuitas na evolução das outras espécies, mas se declara contra a idéia do darwinismo social na evolução da sua própria espécie. Aceitar o darwinismo social seria aceitar posições conservadoras em matéria de política e economia, antíteses da posição progressista que faz as pessoas, entre outras coisas, preferirem o darwinismo ao criacionismo.

O paradoxo funciona para os dois lados. Conservadores que negam a teoria de Darwin sobre a origem e o desenvolvimento das espécies pregam o darwinismo social sob vários nomes: liberalismo, antidirigismo, antiassistencialismo etc. A sobrevivência dos mais competitivos e sortudos, como no universo neutro de Darwin.

Esquerda e direita trocam incoerências. A direita abomina a idéia de que o homem descende de animais inferiores, mas não tem problema com a idéia de que ele deve seu progresso à ganância que tem em comum com os chimpanzés. A esquerda aceita a ascendência de macacos e a evolução da sua espécie por acaso, mas não quer outra coisa senão um design inteligente, humanista, para organizar sua sociedade.

O paradoxo é mais amplo. Progressistas costumam ser a favor do direito do aborto e contra a pena de morte. Conservadores, que denunciam a interferência indevida do Estado na vida das pessoas, invocam a santidade da vida para que o Estado proíba o aborto, e geralmente são a favor da pena de morte, a mais radical interferência possível do Estado na vida de alguém.

Enfim, seja como for que chegamos a isto, somos uma espécie complicada.

1ª EDIÇÃO [2008] 4 reimpressões

ESTA OBRA FOI COMPOSTA PELA ABREU'S SYSTEM EM ADOBE GARAMOND
E IMPRESSA EM OFSETE PELA LIS GRÁFICA SOBRE PAPEL ALTA ALVURA DA
SUZANO PAPEL E CELULOSE PARA A EDITORA SCHWARCZ EM NOVEMBRO DE 2016

A marca FSC® é a garantia de que a madeira utilizada na fabricação do papel deste livro provém de florestas que foram gerenciadas de maneira ambientalmente correta, socialmente justa e economicamente viável, além de outras fontes de origem controlada.